W9-AWV-163

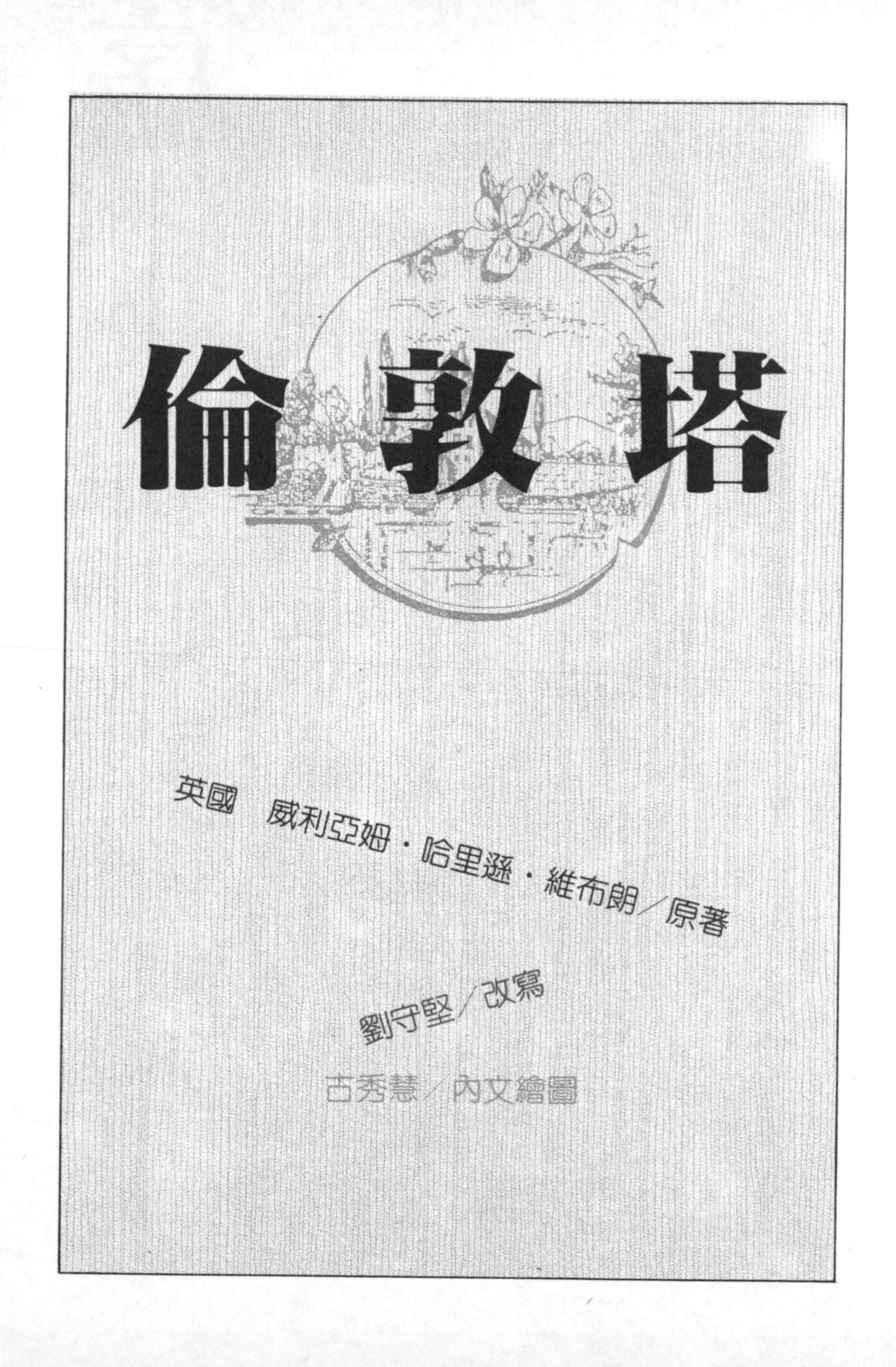

倫敦塔

英國　威利亞姆・哈里遜・維布朗／原著

劉守堅／改寫

古秀慧／內文繪圖

●劉守堅

「倫敦塔」的原作者威利亞姆·哈里遜·維布朗先生，生於西元一八〇五年二月四日。他寫了許多取材於歷史的小說和評傳，在一八八二年一月三日去世，享年七十七歲。

維布朗是一位歷史學家，也是一位小說家。他的作品大都從多種不同的角度，描寫英國歷史上所發生的大事件，對於歷史有興趣的人，可以從他的作品中，找到許多寶貴的資料。

維布朗的代表作，除了本書之外，還有「年輕的牧羊人」、「倫敦的大火和疾病」……等等，其中任何一本，都是描寫英國史上大事件的傑作。

人的欲望是永遠不能滿足的，達到了一個目的之後，立刻渴望著另一個目的。在十六世紀的歐洲各國中，所謂國王的權位，尚未確立，權勢較大的貴族，往往能左右國王的廢與立，甚至能將國王送上斷頭臺。尤其是從歐洲掀起的宗教改革風暴，更使得一國的政治充滿了血腥味。

本故事是根據英國史上的大悲劇寫成的，描述一位善良、純潔的十六歲少女潔茵，夾雜在公公和丈夫的野心、貴族們的爭執以及宗教革命的旋渦裡，好像她一生注定要在困難和不幸中度過。希望讀者讀後，在探討英國史方面，能夠有所助益。

書中人物介紹

潔茵：故事的女主角，是一個善良純潔的少女，因爲丈夫勒特雷及公公洛杉蔓的野心，使她不得不登上王位。在位僅僅九日，王位就被瑪麗公主奪去。一生在困難和不幸中掙扎著，最後走上悲慘的命運——被送上斷頭臺。

琦邁德：潔茵童年時代的好友，對潔茵十分愛慕，經常冒著生命的危險幫助潔茵。曾屢次溜進倫敦塔，企圖營救潔茵脫離險境，但結果仍無法如願以償。

雷奈多：西班牙的駐英大使，信仰舊教，是一個詭計多端的傢伙。爲謀西班牙之利益，時常在倫敦塔裡暗中活動，並屢次向瑪麗女王獻毒計謀害忠良。

勒特雷：潔茵的丈夫，懷有篡奪王位的野心。在潔茵被退位後，糾衆叛變，卻兵敗被捕，也被送上斷頭臺。

瑪麗：愛德華六世的姊姊，信仰舊教，生性殘忍，取得王位後，國內舊教開始復活。以潔茵爲開端，先後處死三百多名新教徒，因此惡名昭彰，被稱爲流血女王。

倫敦塔 目錄

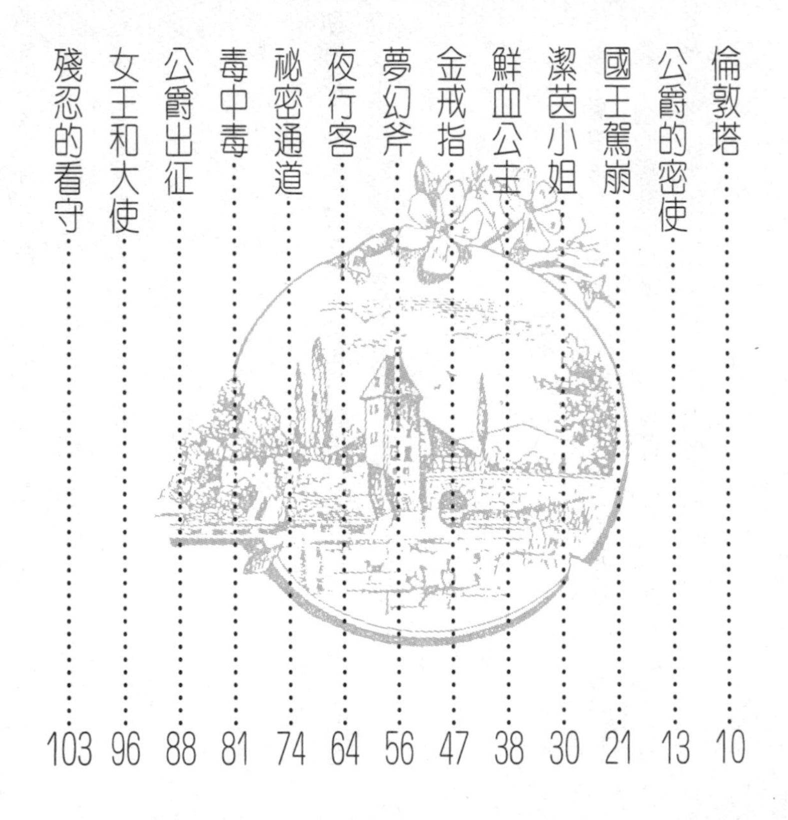

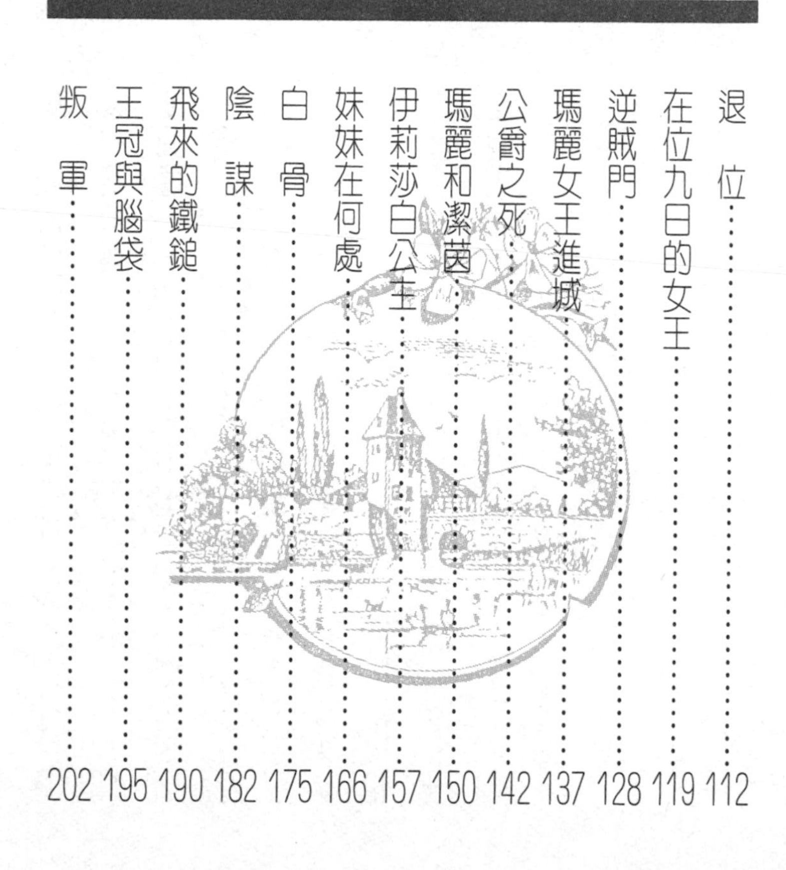

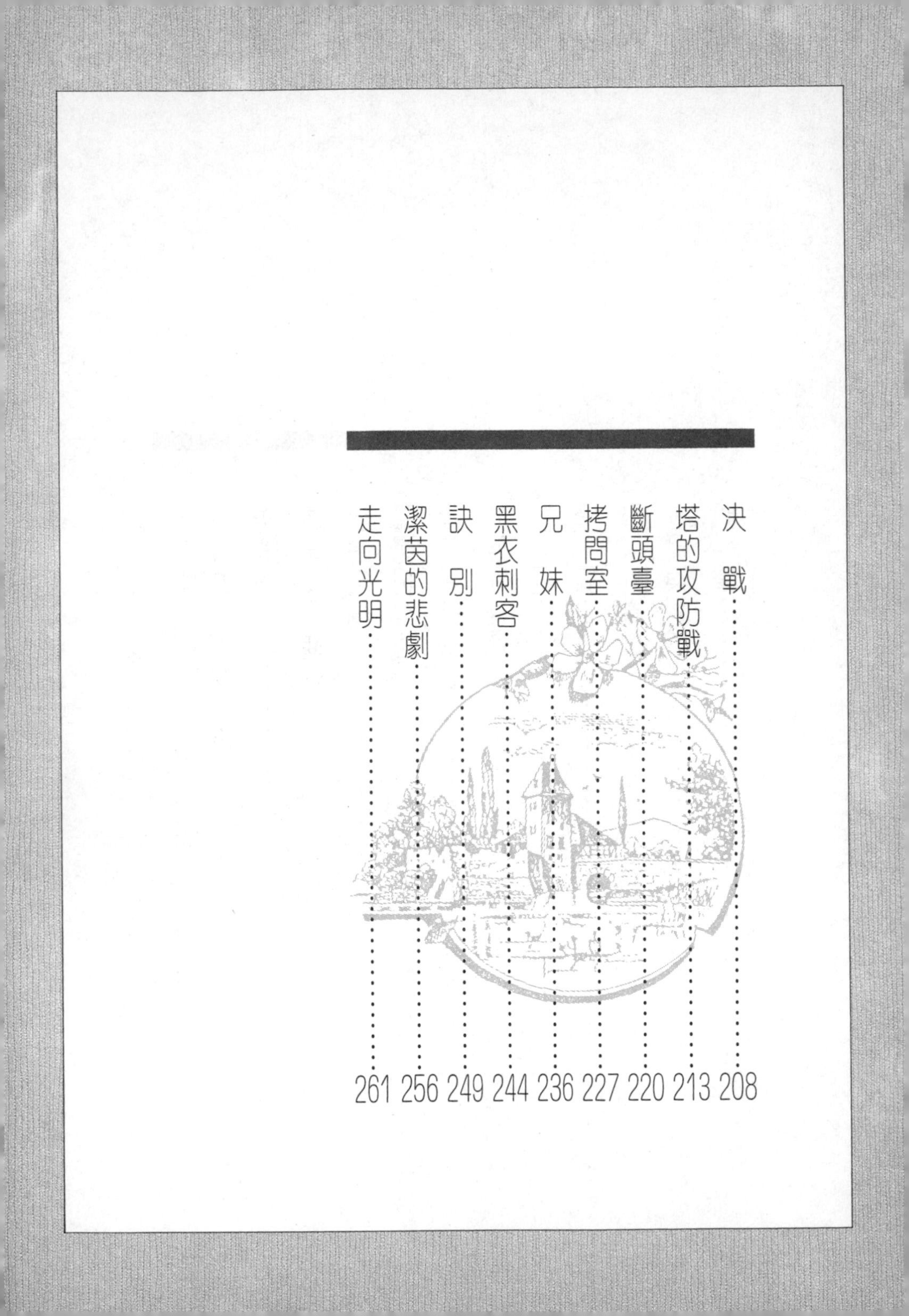

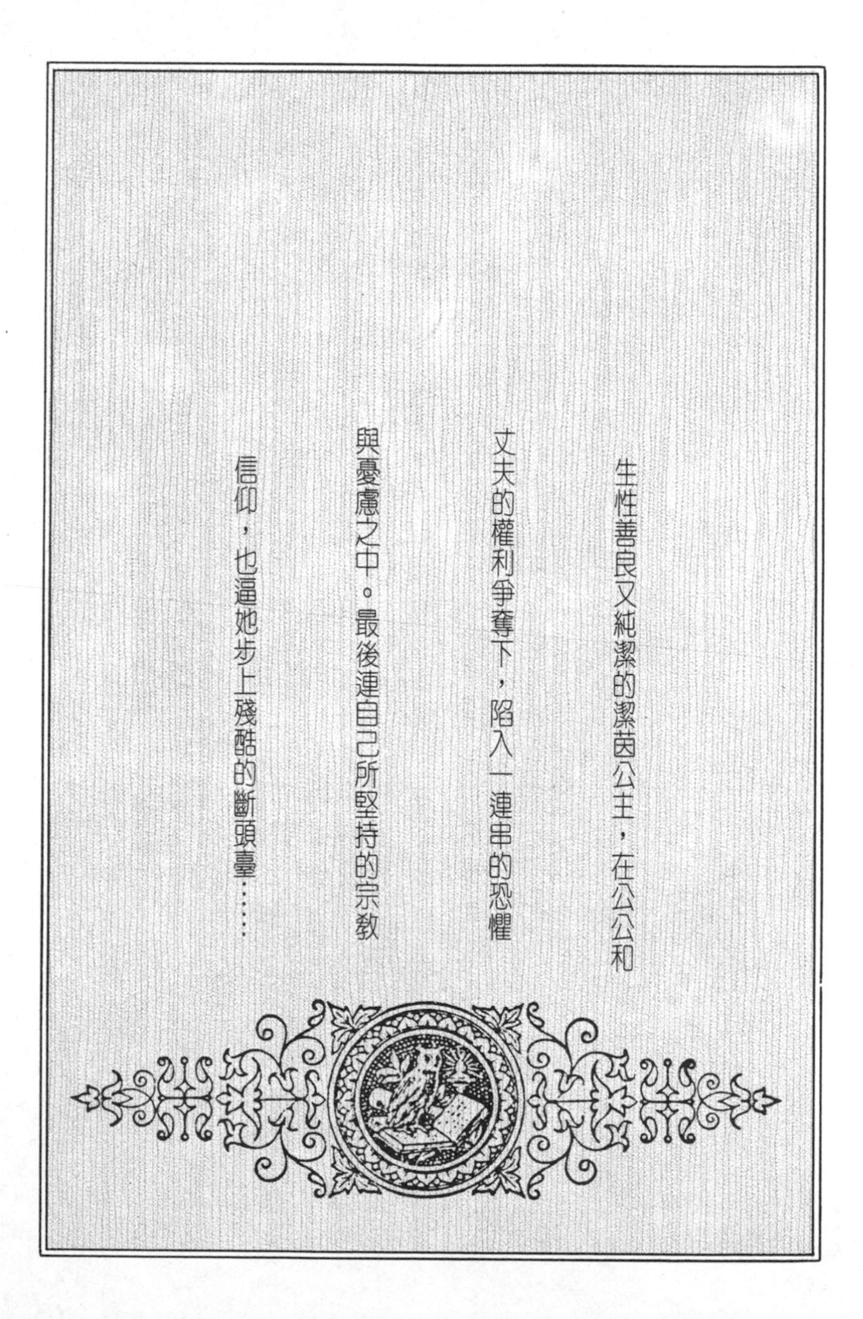
生性善良又純潔的潔茵公主，在公公和
丈夫的權利爭奪下，陷入一連串的恐懼
與憂慮之中。最後連自己所堅持的宗教
信仰，也逼她步上殘酷的斷頭臺……

◉倫敦塔◉

氣勢雄偉、歷史悠久的倫敦塔——座落於貫穿大倫敦市中心的泰晤士河邊。凡是到此地遊覽的人們，沒有不到倫敦塔參觀的。

但是，這座塔並非單獨一棟的建築物。它的四周圍繞著很高的正五角形雙重磚牆，經過了將近千年的歲月，受到長久的風吹雨打及日曬，牆上早已爬滿了青苔。

這倫敦塔是由古老而龐大的十三座塔湊在一起而成的，所以城牆內，塔尖重重疊疊，高入雲霄。

每一座塔，都有名稱，例如：白塔、鹽之塔、寶符室、鮮血之塔、逆賊門……等等。

如同玩具小兵似的，打扮得漂漂亮亮的衛兵們，穿著富有古老風味的服裝，戴著黑色絨布做成的長長的像煙囪似的帽子，以及一套鮮紅的絨布軍服，再配上閃閃發亮的鈕扣，這種裝扮在倫敦是很有名的。

但是，當那些衛兵手中拿著說明書，嘴上喃喃的唸著「鮮血之塔、逆賊門……」時，不由得使人的腦際浮出血腥的印象。這到底是什麼原因呢？

倫敦塔——是一個城，在迎擊敵人時，是個進可攻、退可守的戰略要地。翻開古老的歷史，羅馬英雄琉里亞斯·希塞攻進英國之後，就在此地築起城來。這就是倫敦塔的起源。

第二，這是王者的宮殿。大約五百年的長時間內，代代的國王、女王住在這塔裡，天天過著豪華的生活。

可是，後來倫敦塔卻成爲「奪命監獄」，專門監禁政治上的犯人。

那些政治罪犯被押上小船，沿著泰晤士河，通過一個叫逆賊門的水門，再被送進倫敦塔裡。

若是誰通過這個人稱「逆賊門」的水門，絕不可能再活著從這個水門出來，因此，人們對於這個水門，心理上都有一種死亡的恐懼感。

不知有幾千幾萬人在倫敦塔裡被處刑。現在還保留著的十三個塔裡，雖然已經看不到那些崩塌的痕跡，可是塔裡的每一個房間的牆壁、地板內部都滲透著那些人的血和淚。

例如：國王愛德華五世，被關在鮮血之塔裡面一直到死。而監禁在白塔內的古理浮士王子，利用窗簾當作繩索，想從塔裡逃出來。可是爬到半途，繩子斷了，於是從半空中摔落地面，死得非常淒慘。

類似這樣的例子，多得不勝枚舉。

在某一個時代，倫敦塔裡曾養過獅子、豹等珍奇猛獸。人民爲了飼養這些野獸，還得繳納一筆特別稅金。當倫敦市民隱約聽到野獸的吼叫聲順著泰晤士河傳來，立刻會聯想起那些被關在塔裡的人們，說不定還會因而毛骨悚然呢。

翻開有關倫敦塔的歷史，可以發現許多充滿血腥味的事情。其中最有名的事件，應該算是圍繞在潔茵女王身邊轉的一個悲慘故事。

在當時的英國，若要論智慧、漂亮、氣質，沒有一個比得上潔茵小姐的……但是，卻有一連串令人鼻酸的大悲劇，以倫敦塔爲中心，繞著這位年僅十六歲的少女。

那是發生在西元一五五三年，距今已是四百多年的事了。

◉公爵的密使◉

位於倫敦塔中的白塔三樓，正坐著一位身穿紫色絨布衣服、年約四十五、六歲的男子。他的兩眼炯炯有神，短短的黑鬍子，像割剩的稻草一般，全身散佈著一種不可侵犯的力量和威嚴。而且臉上不時浮現出冷淡、刻薄、精明的笑容，原來他是當時的國王愛德華六世宮中最有勢力的洛杉蔓公爵。

他有今天的地位和勢力，並非不費吹灰之力取得的。七年前，前任國王亨利八世去世的時候，留下年僅十歲的愛德華王子和瑪麗、伊莉莎白兩位公主。

兩位公主的年紀雖比王子大，但是依照傳統，仍由愛德華繼承王位，稱爲愛德華六世。

不管怎麼說，十歲的少年到底無法掌理國政，因此，由蘇麥辛公爵攝政，代行政權。

於是，洛杉蔓公爵就誣指說蘇麥辛公爵企圖叛變，將蘇麥辛公爵監禁在倫敦塔裡，最後，將他送上斷頭臺。

從此，洛杉蔓公爵就以輔佐幼主爲藉口，獨攬大權。

這位平常總是威風凜凜的公爵，今天卻滿臉不悅，心事重重的樣子。這究竟是爲什麼呢？

突然，「沙——」一聲，推門進來的是兩位佩著長劍的青年騎士拉努納和亨利。他們剛武勇猛，在倫敦塔裡是有目共睹，可說是數一數二的勇士。

「公爵您好，要我們來，不知有什麼吩咐？」

兩個人恭恭敬敬的跪在公爵面前，聽候指示。

「啊，你們來得正好，有點事想麻煩兩位。」

「請公爵明示。」

「對於這件事，首先請兩位發誓絕對保密，因爲這關係到整個英國的命運。」

「是，此劍爲證，誓不泄漏祕密。」

「我也是。」

兩個人幾乎同時拔出劍來，貼近嘴脣立誓。

「很好。事實上，想麻煩兩位的不是別的，是取瑪麗公主的性命。」

「什麼？瑪麗公主的……」

「公爵，不是開玩笑吧？」

攝政的洛杉蔓公爵，竟敢命令他們暗殺這位公主——前任國王亨利八世

的女兒，現任國王愛德華六世的姊姊，此事絕不可等閒視之。

兩位騎士嚇得目瞪口呆。

「現在兩位最驚訝的，正是那件事最重要的關鍵。當然裡邊含有很深的道理，兩位或許稍微知道吧？現在國王病勢沉重，隨時都有生命的危險。」

兩位騎士互視了一下。

「因爲陛下沒有親兄弟，一旦有什麼不幸，王位就得由瑪麗公主繼承。但是國王說過，無論如何，絕不能把王位讓給自己的姊姊。」

「爲什麼呢？」

「你們也知道，國王陛下虔誠信仰新教，以陛下的德望和我們的力量，人民也大都信仰新教。但是有一個人仍篤信舊教，那就是瑪麗公主。」

公爵說到這裡，不覺長長嘆了一口氣。所謂新教和舊教，同是從基督教分支出來的教派。但是，在那個時代裡，卻互相區分敵我，因而造成許多血腥事件。

耶穌・基督被釘在十字架後，大約經過一千五百年的時間。這段期間，因爲基督教龐大的影響力，使其勢力逐漸擴張到整個歐洲。並且以住在羅馬巴琦崁宮的歷代法王爲中心。但是，經歷了長久的歲月之後，基督教也逐漸變質，明顯趨向腐敗。

例如：當時羅馬的法王，在歐洲各地發售一種叫免罪券的奇妙護身符。人們只要買下這種護身符，不管犯了什麼罪，都可以獲得赦免。

換句話說，只要有錢就可以任意犯罪。這難道是基督教眞正的教義嗎？只要稍有思想的人，當然會懷疑。但是，當時羅馬法王的權勢之大，並不亞於神。尤其對於各國政治上的問題，不時的加以干涉，而且盛行將犯人綁在木板或柱子上，然後用火來烤。所以那些想反對法王的人，除非有被火烤死的覺悟，否則，只有敢怒而不敢言。

但是，在德國出現一位叫做摩進・魯魯的英雄。他公然反對法王的教義。他說，基督教應該回到神的眞正教義。

摩進・魯魯的這種說法，正迎合了那些不滿舊教的人的心理。因此，以摩進・魯魯爲主的教叫做新教，而以羅馬爲主的教稱爲舊教。

從此，新教和舊教之間，不斷展開血淋淋的爭鬥。在英國，從亨利八世末期，到愛德華六世就位，由於新教得勢，所以信仰舊教的牧師，不但財產全部被沒收，還被監禁在倫敦塔裡。

因爲愛德華六世和洛杉蔓公爵，都是熱衷於新教，所以國王不願在自己死後，把王位傳給信仰舊教的姊姊，這也是無可厚非的。

「知道了。」

「我們一定取公主的性命回來覆命。」

兩位騎士毅然決然說著。

「很好，這才是了不起的英國騎士。國王陛下一定會很高興，我代陛下在這裡先向兩位致謝。」

「不敢當，這不過是作爲一個騎士所應盡的本分罷了。」

「好，那麼請趕快出發吧，請神保佑兩位。」

「遵命！」

「那麼，告辭了。」

兩位再一次的向公爵下跪，然後離開房間。

公爵倚在窗口，目不轉睛的凝視著下面的廣場。

兩位騎士騎著栗毛色的馬，出現在廣場上，馬韁的顏色鮮艷得有點刺眼。

他們繞了一下廣場，然後向公爵揮手告別。

「再見吧！勇士們，祝你們順利達成使命。」

公爵也從窗口揮著手帕，向他們表示惜別。

這時，兩人已把馬頭拉向正前方，一陣鞭子的響聲，兩匹馬立刻如風馳電掣般朝羽橋方向馳去。

「可佩的勇士……，但是，國王陛下恐怕活不到他們完成任務……」

洛杉蔓公爵喃喃自語著。

◉國王駕崩◉

接著，洛杉蔓公爵踏出房間，出席在大廳召開的一個重要會議。國王愛德華六世因年幼，所以碰到政治上有了重大問題時，便由十二名議員所組成的會議來決定。

位居議長之席的洛杉蔓公爵，一邊環視出席的人，一邊說：

「今天有一件很重要的事情，非跟各位商量不可。但是……，關於這個問題，希望各位能夠保密。」

議員們相視了一下，對於現在所要討論的事情，大家心裡都有數了。最後，大家的視線又落在公爵身上。

「實在很抱歉，因爲……」

公爵稍微低下頭，接著又說：

「國王陛下的病情，已經是危在旦夕了。作爲臣民的我們，不用說，都衷心的祈求神保佑國王，使他能夠很快的痊癒。但是，萬一陛下發生不幸，王位應由誰來繼承呢？我認爲這件事，現在非決定不可。」

公爵看了大家一下，又說：

「關於這件事，希望各位能提出一些意見。」

但是誰也不敢先開口，因爲這個深具野心的公爵，究竟有何居心，誰也不知道。如果貿然把自己內心的話說出來，也許會惹來一身禍。可見在這種時代裡，大多數人都懂得如何來「明哲保身」。

「國王陛下的意思如何呢？請你先說明一下。」庫拉瑪主教說。

「我也這麼想。」

「這是最重要的。」

議員們你一言我一語的附和主教的提議。公爵聽了，嘴角浮出微笑說：

「各位既然這麼講，那我就先發表陛下早就立好的遺囑。在座的諸位，假如都在這遺囑上簽字，就會產生法律上的效力。……國王陛下是希望把王位讓給潔茵・肯磊小姐……」

「潔茵小姐！」

「潔茵・肯磊！」

在座的議員不覺紛紛站立起來，彼此交頭接耳的談論著。這個名字會變成這裡所要談論的問題，實在大大的出乎意料之外。

當然，潔茵・肯磊小姐也是具有英國王家的血統。她是亨利八世的妹妹沙福克公爵夫人的女兒，和現在的國王愛德華六世是表兄妹的關係。但是，對國王來說，還有瑪麗和伊莉莎白兩位姊姊，無論如何，也不應該把王位讓給潔茵小姐。

於是，議員們很快的看出公爵的陰謀。

因爲才十六歲的潔茵小姐，最近剛和洛杉蔓公爵的兒子勒特雷結了婚。

如果潔茵小姐登上女王的寶座，隨後，勒特雷可能會成爲國王。……這樣一來，洛杉蔓公爵的權勢，不就會變得更大？

「怎麼啦？各位默默不語，好像是無言的抗議，是不是大家都反對？」

公爵叫人心寒的眼光，掃過在場的人。

「不錯，我反對。」

突然，庫拉瑪主教站起來說話了。

「什麼？反對？」

「我認爲由陛下的姊姊瑪麗公主，來繼承王位才是理所當然的事。」

公爵不覺變得滿臉通紅。

「有一點我要申明：瑪麗公主信仰舊教，而國王的意思是不願把王位傳給舊教的信徒。」

「但是，我認爲宗教是宗教，政治是政治，兩者不應混在一起。除了瑪麗公主之外，把王位傳給其他人的文件，我沒有理由簽署。」

「你不是新教的教主嗎？爲什麼卻偏偏……」

「不，我不能昧著天良，去抹煞和歪曲事實。」

「是嗎？」

「假如你這麼堅持的話，那也沒辦法，但……」

一語未畢，公爵隨手拿起桌上的鈴，搖了幾下。這時，後門被推開來，十餘名手持斧頭的彪形大漢，很快的衝進來，整齊的排列在牆壁前面。

「是誰允許，竟敢跑進祕密會議室？」主教大吃一驚。

但是，公爵冷冷的說：

「依國王陛下的命令，對於反對在遺囑上簽署的人，將以謀反的罪名處死，我看你們還是再仔細的考慮一下……」

主教和其他的議員一樣，在大斧頭的威脅下，勉強在遺書上簽過字了。

那天黃昏，得「天花」的愛德華六世，終於陷入最危急的狀態。

近代由於發現種痘的方法，所以這種病已經是一點也不可怕。不過在當時，一旦得了天花，重者喪命，輕者變成非常難看的麻臉，實在是令人束手無策的絕症。

在倫敦塔王宮的一個房間裡，早已變成乾癟癟的愛德華國王，昏沉沉的睡在寬大的床上。

他的身旁，除了把脈的醫生、洛杉蔓公爵和庫拉瑪主教之外，沒有其他的人。

「啊……啊……」

國王一邊呻吟，一邊搖著頭，勉強睜開了眼睛，像一盞將要熄滅的燭光，「霹靂！」一聲又突然的燃起明亮的火花。這就是生命力最後的掙扎。

「公爵……公爵……」

「臣在！」

公爵跪在床前。

「兩位使者回來了嗎？」

「還……還沒回來。」

「太遲了……恐怕我快……」

「請陛下放心，那兩位是倫敦塔裡數一數二的劍客，必能順利完成任務歸來。」

「是嗎？但……我是否能聽到那個好消息呢？」

「請陛下不要擔心。陛下的病已逐漸好轉，醫生也這麼說，所以在今年內一定會痊癒。」

「不，不要安慰我，我自己比誰都清楚……只是，不聽到姊姊先死的消息，心有不甘。」

主教不覺把臉轉開。

這年輕的國王，在臨終時，仍然如此憎恨、畏懼他的姊姊，這究竟是什麼道理呢？實在叫人百思不解。

「請陛下不要憂慮，安心養病。」

主教也安慰著國王。

「不，姊姊的心我最清楚……如果她登上王位，不知要掀起多麼恐怖的事來，這樣，英國就會因而滅亡……爲了神、爲了英國，姊姊早點死就好了。但……」

愛德華國王的臉色開始變了，死神的陰影正籠罩在他的臉上。

「殺死姊姊！」

話剛說完，國王的頭就垂了下來。

「駕崩了。」

靠在旁邊把脈的醫生，以顫抖的聲音說。

「歸天了……」

「神啊！請把這可憐的靈魂迎向天堂……」

公爵和主教都不知不覺的跪下，向神祈禱。

◉潔茵小姐◉

離開倫敦約數十里的普藍特福曠野，正是百花盛開的時候。其中，特別顯眼的是一棟純白的建築叫翕峨宮，那就是潔茵・肯磊小姐的寓邸。

在這個寓邸的花園裡，遍地綠草如茵，青翠欲滴，萬紫千紅的花朵參差其間。一位美麗的少女，出神的盯著花朵上嬉耍的蝴蝶。

她的年紀大概十五、六歲。如果說像這種年齡，還抱著洋娃娃玩耍，也並不可笑。

她實在很美，金黃色的秀髮，像波浪般披在肩膀上，水汪汪的眼睛，像南國的晴空般的清澈。偶爾，綻開紅紅的嘴脣，微微一笑，紅潤的雙頰，也浮出淺淺的酒渦，再配上潔白的牙齒和頸上的珍珠項鍊，看起來眞是美麗極了。

這位氣質脫俗的少女，就是寓邸的主人潔茵・肯磊小姐，她作夢也沒想到會繼承英國王位。

「潔茵，你在看什麼呢？」

這時，從背後走出來一位青年，從他的眼神中，可以看出是個野心勃勃的人。他就是洛杉蔓公爵的兒子，潔茵小姐的丈夫——勒特雷先生。在那個時代，身分地位高的人，年紀很輕就結婚是司空見慣的事。因此，潔茵小姐十六歲就成了勒特雷的妻子。

「是你呀！」

潔茵露出天眞無邪的笑容說。

「我正在看蝴蝶飛舞哩。」

「這蝴蝶的確很漂亮。」

「是很漂亮。但是，像這樣漂亮的蝴蝶，卻活不了多久，實在很可憐！

古90.12.9

神的確太無情了……」

潔茵好像很惋惜的說。

「哈，哈，哈！你想那些做什麼？」

「你看！那些美麗的花，也同樣，只開了十來天就凋謝了。」

「美麗的事物，它的生命往往是短暫的，而由於生命的短暫，更顯出它的美麗來，不是嗎？」

從勒特雷的語氣，可以看出他對年輕妻子的關懷。

「但是……」

好像正要說些什麼，忽然……

「啊，那是？」潔茵驚奇的叫出來。

由好幾十位騎士所護駕的兩輛馬車，匆匆的進入這棟寓邸。

「好像是正式的使者，會不會是……」

勒特雷有一種預感，因爲到目前爲止，從父親那兒不止一次，派使者所梢來的信中透露，妻子潔茵，也許將要成爲英國的女王。

「去看看吧！好像是一位大臣，非出去迎接不可。」

「好！」

兩個人來到正門時，剛從馬車下來的是洛杉蔓公爵和庫拉瑪主教。他們一看到潔茵小姐，就恭恭敬敬的跪下行禮。

「爸爸，您怎麼這樣子呢？」

潔茵覺得今天父親的行動好奇怪。

「不，這是禮節！」

「沒這回事，公公對媳婦這樣客氣，那媳婦不知該怎麼做才好呢？」

「我不是向媳婦行禮，而是向女王陛下致意。」

「女王陛下？……」潔茵小姐自己也搞糊塗了。

「那是誰開的玩笑，眞叫人難爲情。」

「絕不是開玩笑！國王陛下已經去世，我們是趕來通報國王把王位傳給潔茵小姐的遺囑。

「當女王……主教，那是眞的嗎？」

潔茵用充滿疑問的眼光，看著主教。

「不錯，從今天起你就是英國女王，所以非請你到倫敦即位不可。」

「啊，神呀！」

潔茵用雙手掩著蒼白的臉，身體不斷的搖晃，接著就整個人癱軟在椅子上。

「小姐！」

「陛下！」

大家慌忙的扶起潔茵小姐。原本如蘋果般紅潤的臉，已變得毫無血色！

沒想到這個消息，居然把潔茵小姐嚇昏了。

「快拿白蘭地酒來！」

大夥兒撥開潔茵小姐緊閉著的雙脣，把白蘭地酒慢慢灌下，潔茵小姐的臉色總算漸漸的恢復過來。

「我……」

在勒特雷懷裡的潔茵，撐著發抖的雙腿，慢慢的站起來。

「如果那些話都是眞的，那我只好認命了。不過，要我繼承王位，是神和國王的旨意嗎？」

「如果不是的話，我們也不會這麼愼重的來通知你。」

主教很正經的回答。

「嗯，既是神的旨意，我只好負起這個責任，盡力而爲。」

一位才十六歲的少女能講這樣的話，確實是很了不起。

「主教，請一起來禱告，祈神保佑。」

主教跟在潔茵小姐後面，靜靜的朝著教堂走去。公爵用眼睛向著走在他們兩人背後的勒特雷示意。

「爸爸，有什麼事嗎？」

「這裡不便說話。」公爵把勒特雷叫到枝葉茂密且四周無人的樹蔭下。

「你難道還不了解我的心意嗎？」

「爸爸，什麼事？」

「潔茵登上王位後，你應該把握機會，說服潔茵讓你做國王，懂嗎？」對於這位野心勃勃的公爵來說，自己的兒子能否登上王位，比什麼事都重要。

「我明白了。爲了實現爸爸的願望，也爲了我自己，一定會全力去說服潔茵。」

和他父親一樣，勒特雷也滿懷野心，眉飛色舞的說得口沫橫飛。俗語說得好，龍生龍，鳳生鳳，老鼠生的兒子會打洞，眞是有其父必有其子。

「那全要靠你的努力了。爲了登上王位，縱使公主發生了什麼差錯，也……不，一旦你登上王位，整個英國就是我們的啦，子子孫孫都能永遠享受榮華富貴，那是多麼教人興奮的事呀！」

「爸爸，請您拭目以待。」

父子兩人交會了一下目光，不禁相對大笑。

◉鮮血公主◉

那天傍晚，在倫敦西北三十里的諾齊卡姆鎮，由遠而近傳來「咔噠，咔噠！」木板摩擦和震動的聲音。接著，來了兩輛裝飾得很豪華的馬車，兩旁有將近十位威武的騎士護衛著。從這些排場可以看出，馬車的主人絕非等閒之輩。

這時，從正對面的倫敦那邊，有兩位騎士，快馬加鞭的飛奔過來。他們一靠近馬車，就趕緊勒住韁繩，讓馬平靜下來後，迅速從馬上跳下。

「對不起，請問這是公主的車子吧？」

馬車旁邊的一名侍衛，手握住劍柄說：

「正是，來者何人？」

「從亞藍鐵伯爵那邊來的急使說：國王陛下已經去世了，最高政治會議開會通過，決定由潔茵小姐繼承王位。你們如果此刻進入倫敦，恐怕會遭到危險。」

「什麼？國王陛下駕崩了？」

侍衛聽了，不禁大吃一驚。

「那得趕快報告公主，兩位請在此稍候。」

「是，不過我們帶來伯爵要給公主的密信。伯爵命令要面呈公主。可是，可是……」

「那麼，隨我來。」

侍衛走近其中一輛馬車時，從馬車的窗子裡傳來很客氣的聲音：

「請到這兒來！」

侍衛帶領著一名使者走近馬車。車內坐著兩位女士，一位打扮得花枝招展，可惜臉上蒙著面紗，看不清她的面貌。坐在她背後的另一位，開口說：

「亞藍鐵伯爵的使者嗎？」

「是的。」

使者跪著回答。

「密信給我。」

「是。」

使者不慌不忙的站起來，把手伸入懷裡，突然，掏出閃閃發亮的東西，那是一把尖銳的短刀。

「公主，認命吧！」

這個男子快速把短刀朝著貴婦擲去。「唉呀！」一聲慘叫，貴婦應聲倒地。他一看目的達到了，就飛也似的衝向自己的馬那邊去。

「可惡！」

「懦夫！別跑！」

侍衛們紛紛拔出佩劍，向著這個刺客圍了過去。另一位男子，看到情況不妙，掉頭就跑。那個謀刺公主的男子，還沒來得及上馬，就被一名侍衛擋住去路。侍衛不停的揮劍攻擊，那男子很機敏的閃躲著，同時也抽出長劍，擺出無懈可擊的應戰架勢，即使已被團團圍住，卻毫無懼色。忽然……

「是亨利！」

「公爵的密使！」

大家很快就認出他的身分。因為經過一陣閃躲之後，不只假鬍鬚脫落，假髮也掉了，終於原形畢露。

「是勁敵！」

「公爵竟然派出這麼一個高手。」

一個武士用力踢了一下馬刺，以餓虎撲羊之勢，朝著亨利衝過去。亨利

身體一閃，從容不迫的用劍狠狠的刺進馬的肚子裡，馬嘶叫了一聲，摔在地上，武士也跌了個倒栽蔥。亨利正得意，一不小心，絆到地上的馬韁，失去重心，也摔倒了。

「殺！」

一聲令下，侍衛們從馬上撲向倒在地上的亨利，然後用繩子把他牢牢的綁起來。

「殺呀！殺呀！」

亨利忍著痛，大聲喊叫：

「爲了取公主的性命，早已不計生死。殺呀！殺呀！」

「糊塗蟲……」

從馬車裡傳來嚴肅的女子聲。

「公主沒死。被你這糊塗刺客刺死的並不是公主。」

接著，從馬車上悄悄下來一位臉色紅潤、稍微肥胖的中年女人。這才是洛杉蔓公爵處心積慮、希望取她性命的瑪麗公主。

「啊！你……」

剛勇的亨利，看到自己一心一意想要刺殺的公主出現在眼前，心中不免爲之一震。

「可憐的人，連我和侍女都分不清楚，還敢當刺客，可見是個被人利用的人。」

瑪麗對著倒在地上的亨利，冷冷的說。

那時，不遠的地方又出現了一位騎士。這騎士見了公主，急忙下馬，跪在地上。這才是眞正的亞藍鐵伯爵。

「伯爵，爲了一個說是你派來的急使，我差一點就喪命。」

公主的眉毛連動也不動，好像若無其事。

「竟有人敢狙擊殿下，簡直有眼無珠……不過，話說回來，公爵那一夥人，是眞的急於取得王位。」

「那麼，國王陛下駕崩是眞的呀？」

「千眞萬確！而且潔茵小姐已登上王位。」

「可惡……，英國應該是我的。除我之外，誰也沒有資格繼承王位。」

「當然！這是全英國人民都知道的事。不過，既然事情演變到這種地步，殿下如果貿然進入倫敦，恐怕有危險，不如先回到諾法克城，暫且觀望一下再作決定。」

「只好這麼做了。」

「殿下，這個男子怎麼處置？」

押著亨利的那名侍衛這樣問。

「那個男子嗎？」

公主回過頭來，臉上浮出人們在背後稱她爲鮮血公主的那種殘忍笑容，說：

「把他的眼珠挖下、鼻子割掉。這是給那些叛逆者一個小小的警誡。」

於是，這個隊伍變換了方向，朝著諾法克城而去。留下被挖去兩眼和沒有鼻子的亨利，痛得在路邊呻吟、打滾。

◎金戒指◎

七月十日午後三點，洛杉蔓公爵的官邸——納拉畝宮的內庭首先鳴砲。泰晤士河南岸的大砲和倫敦塔的砲臺，也先後鳴砲。這是祝賀潔茵小姐進城的禮砲。

從納拉畝宮直接登上英國女王王位的潔茵小姐，在盛大隆重的遊行隊伍前導之下，開始向倫敦塔出發。

一陣清脆的小喇叭聲過後，在泰晤士河上船隊的樂團，就開始演奏進行曲。

但是，美中不足的是來歡迎或者看熱鬧的人群，卻靜悄悄的連一句歡呼聲也沒有，甚至「女王萬歲」的口號也沒有。

在遊行行列前頭的兩位主教庫拉瑪和李若慧，看到這種未曾有的怪現象，都不禁搖頭嘆息。

「女王入城卻沒有一點歡呼聲，這不是一種好現象。」

庫拉瑪附在李若慧的耳邊，輕輕的說。

「我也有同感。」

李若慧看了一下四周，小聲的回答：

「人民的歡呼是很重要的。我看到那一聲不響、默默不語的人群，好像預感到潔茵小姐將被趕下王位，而注定英國女王將由瑪麗公主來繼承。」

「實在是很傷腦筋的事……就義理上來說，應由瑪麗即位才對。可是，話說回來，如果瑪麗眞的成了女王，那對我們新教而言，極爲不利。」

「那個時候，說不定我們也要被監禁在倫敦塔的牢裡。運氣不好，還會被用火烤死。」

「說的也是，眞叫人頭痛……」

兩位主教擔心著自己未來的命運，也擔心女王的前途。

在行列裡邊，從各國派來的大使、公使們，交頭接耳，議論紛紛，話最多的是法國大使駱艾優和西班牙大使雷奈多。

「喂，你看這齣戲會上演多久？」

法國大使低聲的問雷奈多。

「可能不會持續太久吧！」

「不會持續太久——何以見得？」

西班牙大使頓時浮出陰險的笑容。

「如果是信仰舊教的瑪麗公主當女王，比起潔茵，對於同是信仰舊教的西班牙較爲有利。爲了西班牙的利益，無論如何，一定要叫洛杉蔓公爵下臺不可。」

「對我們法國而言，也是如此。」

「既然你也明白了，相信你不至於袖手旁觀吧！」

「我會盡力幫忙。」

「首先是計畫殺掉公爵。」

法國大使聽了這話，不禁大吃一驚。

「殺公爵——？誰去殺？」

「今晚，我把那些同伴介紹給你認識。」

「誰是頭兒？」

「當然是我，西班牙大使雷奈多。」

法國大使也露出牙齒，笑著點頭。

「好，今後法國和西班牙，就是最親密的朋友，共同爲公爵的腦袋而努力……」

「還有一個英國最聰明、最美麗的女人的頭，潔茵·肯磊的腦袋，也一起……」

可能沒人注意到這兩位大使正在商討什麼可怕的陰謀吧！遊行的隊伍魚貫的穿梭在人群當中。才登上王位的潔茵．肯磊臉上浮出親切的笑容，出現在群衆的面前。旁邊有野心家洛杉蔓公爵、潔茵的父親沙福克、丈夫勒特雷陪著，後面則是一群侍女。

女王穿著一襲高貴的天鵝絨衣裳，襯托出她那種清新脫俗的氣質，看起來又美麗又可愛。

「眞漂亮！」

「美麗的女王！」

人們不約而同的讚美這位女王，不過，就是沒有半句「女王萬歲」的歡呼聲。

或許女王也注意到人群的那種反應，臉上優雅的笑容和美麗的表情也就跟著消失了。

遊行隊伍緩慢的在沉默的人群面前通過之後，登上美侖美奐的船隊。

當女王正要踏上座船時，突然，有一艘小船，飛也似的朝著女王的座船划來。船上坐著一位老太婆，和一位很賣力划船的青年。

「拜託一下，我有件事要請求女王陛下。」

老太婆用沙啞的聲音嚷著。

「眞可惡！」

「是誰答應你靠近的？」

一列侍衛像銅牆鐵壁般的擋在老太婆前面。但是，女王陛下卻很溫柔的說：

「有什麼事情，請不用客氣，如果我能辦得到，一定會答應你。」

「謝謝您，女王陛下，我只有一個請求……」

老太婆上氣不接下氣的說：

「請您不要進入倫敦塔，因爲塔裡潛伏著一種危機，可能會危害到您的生命，請不要進去。」

這話聽起來，有一種不太吉利的預兆。

「什麼樣的危機呢？」

潔茵露出無可奈何的微笑問。

「進塔後，可能被人用大斧頭……，可能被下毒。」

「眞可惡！叛徒！」

站在女王旁邊的勒特雷，大聲的打斷了老太婆的話。

「簡直是個瘋婆子。」

公爵也狠狠的瞪著老太婆。

但是，潔茵卻摘下手指上的金戒指，送給這位老太婆，一邊說：

「謝謝你的忠告。可是，當我成了女王時，就下定決心……很抱歉，我現在沒有充裕的時間和你詳談，以後你有什麼事，只要拿著這個戒指，就會有人帶你來見我。」

似乎是受到女王這種眞摯的感動，老太婆傷心的用兩手掩著臉，無可奈何的搖一搖頭。這時候，搖櫓的青年，開始划動小船，於是小船漸漸的遠離了女王的座船。

倫敦的上空，剛才還是萬里無雲，晴朗無比。驟然之間，卻從四面八方湧來朵朵烏雲，密密層層的好像要衝向地面來。突然閃電一掠，迸發出震耳欲聾的雷聲。

不久，船隊逐漸接近倫敦塔，眼前那灰色的城壁，配上烏雲密佈的昏暗天空，讓人有一種陰森森的感覺。又加上剛剛那位老太婆的忠告，更令人不得不憂慮起來。

「這個塔，也許會變成我的墳墓。」

潔茵在內心喃喃自語著。

「可是我非進去不可，那是神的旨意……」

進了倫敦塔，盛大隆重的加冕典禮，接著就開始了。

這件事在別人的心目中，不知作何感想。可是，從表面上看起來，至少大家對於這位美麗的女王，還是恭恭敬敬的。

晚宴結束後，潔茵被帶進臥房，她的丈夫勒特雷和公公洛杉蔓公爵，說有重要的事情要出去商量。

「姊姊，著名的聖岫禮拜堂在哪兒呢？」

從剛才就一直默默坐在潔茵身邊的妹妹荷瑪說著。

「啊！我也不太清楚，可能在這裡的白塔內吧。」

「聽說在半夜，獨自進入禮拜堂禱告，大都能如願以償。所以我想去看一看。」

「那我們就一塊兒去吧！」

潔茵高興的說。沒有想到這位身爲英國女王的年輕少女，對宗教如此虔誠。

在侍衛的引導下，一下子就到了白塔，通過了很長的走廊，才能進入塔裡的會議室，於是侍衛停住腳步說：

「從門一直進去，走廊的盡頭就是禮拜堂，除了這個門之外，沒有其他的出入口。」

「謝謝，我先進去，你們暫且在此等一下。」

潔茵很堅定的說。

「這麼晚了，女王陛下一個人……」

「姊姊，萬一發生什麼事，怎麼辦呢？」

荷瑪小姐和侍衛們似乎不太放心潔茵一個人進去。

「去向神致敬，大概不會有什麼恐怖的事發生吧？況且這兒只有一個出入口，由你們守著，不是最安全的嗎？」

說完這話，潔茵拿著銀製的燭臺，走向通往禮拜堂的走廊。

走廊的盡頭，一片漆黑，潔茵停住了腳，因為在黑暗中隱約可以看出眼前有個高大的圓柱子。突然，一個好像是蒙面的黑色影子，從圓柱的背後掠過。

難道會是幽靈嗎——？潔茵好像被澆了一桶冷水似的毛骨悚然。對於這個具有歷史性的古老倫敦塔，當然有很多奇怪的傳說。

但是，這個黑影並沒有再出現。

不能膽怯，也許是自己疑心生暗鬼——潔茵自我安慰一番。然後再一次的提起勇氣，走下圓柱旁邊的階梯，步入禮拜堂。

這是一座非常富麗堂皇的建築。潔茵雖是王家親戚，但從來就未曾看過像這樣莊嚴、豪華的禮拜堂。她看得出神，一時忘了恐怖，也忘了要向神祈禱的事。

忽然，她好像全身凍僵般，凝視著圓柱。剛才在走廊盡頭出現的那個蒙面黑影，現在似乎又站在圓柱的背後。

那絕不是夢幻，更不是幽靈。

「你是誰？爲什麼躲在那個地方？」

女王用顫抖的聲音叫出來。

那個黑影沒有回答。忽然，像一縷輕煙，無聲無息的消失了。

潔茵雖然內心忐忑不安，但是，至少這一次還說得出話來。

要向神祈禱的事，已忘得一乾二淨。潔茵正想循原路折回時，覺得離她不遠的地板上，好像有什麼東西落下。她雖然嚇得直發抖，但是，由於好奇心的驅使，想看一看那究竟是什麼東西。她手持燭臺，走近一看，是一把擦得亮晶晶、形狀奇特的斧頭。

那是鋼製的斧頭，而且是劊子手用來砍人頭的大斧。斧尖正朝著女王。碰到這種情形，即使是男人也會被嚇倒，更何況是一位年僅十六歲的少女。

「啊——」一聲尖叫，潔茵隨即昏倒在地板上。燭臺也從手中滑落地上，火焰很快就熄滅了。

當她醒過來時，發現睡在自己的房裡，妹妹荷瑪面帶愁容的注視著她。

「這是哪裡……」

「姊姊，您醒了，好極了。我剛才好擔心哦！」

「究竟怎麼回事……」

「都怪我不好，慫恿姊姊到那可怕的地方去……請原諒。剛才我在門口等了很久，還不見姊姊出來，心裡很著急，所以就和侍衛們一起進入禮拜堂，發現姊姊躺在那兒，我們嚇了一跳，趕緊把您扶回宮。」

「原來是這樣啊……」

潔茵現在才完全明白何以會躺在自己的臥房裡。但是對於那個黑影和夢幻斧的事，仍然滿腹狐疑。

「當時你們沒有碰到什麼東西嗎？像可怕的幽靈之類……」

「沒有。」

「我昏倒的地方周圍沒有任何東西嗎？」

「除了燭臺之外，什麼東西也沒有。」

照這樣說，難道奇怪的黑影和那把銳利的斧頭，只是一種夢幻嗎？潔茵怎麼想也想不通，心裡覺得這是一種不祥的前兆，好像有什麼不利於自己的陰謀就要發生似的。

忽然，「咔啦——」一聲，丈夫勒特雷推門進來。荷瑪小姐做了一個屈膝禮，就退出去了。

「怎麼啦？氣色好像不太好。」

勒特雷很關心的問。

「不，沒什麼。也許白天太緊張，現在覺得有點累。」

「那得好好休息嘍！」

勒特雷邊往沙發椅坐下，邊說：

「的確是很辛苦的差事。像你這樣年輕又軟弱的女孩，當上女王，責任實在太重了，實際上，我也是很擔心。不過，關於這件事，我帶來了一個好消息。」

「是什麼呢？」

「父親和其他貴族，商量由我來當國王。」

「不行，那絕對不行！」

潔茵從床上跳起來，大聲叫著。

「他們沒有這種權力。能立你爲王的只有我一人。」

「那不是一樣嗎？」

「不一樣。說眞的，我自己也不知道這頂王冠，是否是我應得的。何況做爲國王或者女王，是否能眞正得到幸福，我也很懷疑。說不定什麼時候，要被人趕出這塔，被人以謀反罪送上斷頭臺，這也是很難預料的。我想了很多，也考慮到很遠，因此我不希望你再捲入這種漩渦，嚐到這些痛苦……」

女王說到這裡，像木雕泥塑一樣，靜靜的站著不動，淚水從眼角緩緩滾下。

勒特雷也不免大吃一驚。

一個年僅十六歲的少女，能說出這樣的話，實在令人意想不到。

◉夜行客◉

在同一天晚上，倫敦的另一個地方，發生了一件奇妙的事。

瀰漫著一片冰冷霧氣的聖博大寺院門前，佇立著一位青年。

「神啊……神啊，我該怎麼辦才好？請幫幫我。」

當這位青年忘我似的喃喃自語時，突然——

「幫是會幫，但是……」

從濃霧中傳來低沉的男聲。

青年嚇了一跳，眼睛朝著濃霧張望。

「你可能不知道我的名字，但我卻知道你叫琦邁德。」

「你怎麼知道的？」

「哈，哈，哈！我怎麼知道並不重要，重要的是帶我去見你的祖母。」

「你——？」

「不要怕，你祖母應該十分熟悉我的臉。」

這個男子到底長什麼樣子，在濃霧中根本看不清楚。但是，從他每一句話的語氣中，有一股叫人無法拒絕的魅力。

好像有某種不可思議的力量在催促著，青年帶領這位男子，拐了幾個彎，繞過了好幾條羊腸小道，在一間矮小的屋子前面落了腳。

青年點燃了門前的角燈，在昏黃的燈光下，終於看出那位男子全身黑衣服，好像是很有身分的人。

他長得高高瘦瘦，有著鉤狀的鷹鼻，兩隻烏黑的眼珠，放射出刺人的光芒。

「是琦邁德嗎？」

打開屋裡的門，出來了一位白髮老太婆，看起來有點面熟，似乎在什麼地方見過——原來就是當天在泰晤士河上，向正要登上座船的潔茵，忠告不要進入倫敦塔的那位神祕老太婆。

「卡瑙那，是我。你大概不會忘記我的面孔吧！」

見到在角燈照射下的那位男子，老太婆不禁叫出聲來：

「你是……雷奈多大使？」

「不錯，正是本人。今天在船裡看到你在勸阻潔茵，嚇了一跳。但是，在人叢中不便講話。」

「那你現在到我家是……」

雷奈多大使一邊冷笑，一邊踏進屋裡，坐在椅子上。

「卡瑙那，假如我的記憶沒錯，你就是在倫敦塔裡被砍頭的蘇麥辛公爵的奶媽。」

「是的。許多年前的事，你還記得這麼清楚。」

老太婆也冷冷的笑著。

「蘇麥辛公爵被殺，完全是洛杉蔓公爵的陰謀。對於這件事，你難道無動於衷嗎？」

「那眞是叫人恨之入骨……不過，只要能看到洛杉蔓公爵的腦袋瓜兒落地，我這猶如風中殘燭的老人，就能了了一樁心事。」

「好，……很好，我願助你一臂之力，但也想借助你的力量，如何？」

「那是互相的。」

「因爲關係到潔茵的王位和洛杉蔓公爵的勢力，所以第一步，要先奪下潔茵的王位，再把她的頭……」

青年琦邁德一聽，臉色大變。

說：

「什麼？取潔茵的性命……你再說一次看看。」

被這位青年氣勢洶洶的一說，雷奈多大使好像有點害怕起來，喃喃自語說：

「什麼！難道你是潔茵的同黨？簡直莫名其妙……」

「取洛杉蔓的頭是可以，但絕不能傷害那位可愛的潔茵小姐。」

老太婆打圓場的說。

「什麼道理呢？」

「我們一家人都信仰舊教，認爲在道義上，應由瑪麗來繼承王位，才是理所當然的。但是我相信潔茵登上王位，絕不是她自己的意思，一定是被迫的。我和潔茵並沒有仇恨，況且她是我孫子小時候的同學和遊伴。」

「原來如此，這件事我倒不知道。」

雷奈多大使緊蹙雙眉好像很傷腦筋似的又說：

「那樣的話，我們就別去傷害潔茵，我們要她把王位還給瑪麗，就可以過著和平幸福的日子。」

「是的，我們比誰都擔心潔茵的安全。只要她不登上王位就不會有生命的危險。如果她能脫離黑心腸的洛杉蔓公爵，就能過著幸福的日子，那是最重要的！」

琦邁德也一口氣的說了這些話。

「這件事就這樣說定了。不過，卡瑙那，我還想問你一件事……」

雷奈多把話停了一下，改用嚴肅的語氣說：

「先王去世的事，不能就這樣不了了之吧！雖然，先王是有病在身，但這並不是去世的直接原因……」

這時，可以從卡瑙那的眼神，看出她的心虛。

雷奈多又說：

「我從可靠的地方探聽出來，你受到洛杉蔓的威脅，而向先王下毒。」

老太婆深深的嘆了一口氣。

「是的。我從來就沒有看過像公爵那麼壞的人。表面上是忠臣，背地裡卻要毒死國王陛下。如果這次由他的兒子登上王位的話，很可能又要輪到潔茵被下毒。」

「如果眞相確實如此，只要有你這麼一位活的見證人，勝利就屬於我們的啦。這回非整倒那個傢伙不可。可是，你住在這裡恐怕不太安全，因爲公爵已派人在搜查你的行蹤。」

「我……該怎麼辦？」

「目前只有你一人知道他的壞事。而以前他不殺你，是因爲你還有利用的價值，現在已經用不著你了，所以……」

聽雷奈多這麼說，老太婆又嘆了一口氣。

「實在太可怕了。」

「因此，你在這裡很危險，也許什麼時候，公爵那一夥人闖了進來。不如現在跟我一起走，在西班牙王國權勢的護衛下，保證你絕對安全。」

經大使這麼一說，卡瑙那附在孫子的耳邊，嘀嘀咕咕不知說了些什麼。

「也好，爲了洛杉蔓的頭，我願意跟你去。」

大使和老太婆步出了屋子，兩人的身影漸漸消失在倫敦的灰色大霧中。

青年獨自留在屋裡，好像在想什麼似的踱來踱去。不知道過了多久，忽然，門前的石板道上，響起「的嗟，的嗟——」的馬蹄聲。

「開門，開門，還不快開門！」

傳來男人的叫門聲。

「是誰？現在已是……」

「不開門的話，就要撞進去了。」

琦邁德還沒打開門栓，門就被撞破了，衝進來的是五、六名武裝的彪形大漢。

「不要亂來！」

青年大聲阻止。

「仔細搜查每一個地方，把老太婆找出來！」

其中一位大漢命令著。

「祖母不在家。」

「亂講，深夜裡，一個老人會跑到哪裡去？有人密告她藏在這裡，如果你故意隱瞞的話，也要連帶受處分。」

他看住這位青年，其他的人則拚命搜查。

「報告隊長，找不到老太婆。」

「可能知道我們要來，事先逃掉了。」

隊長歪著腦袋，露出可怕的笑臉說：

「好，把這個男的帶走，他一定是卡瑙那的孫子。這樣，對公爵閣下才有個交代。」

「要把我帶到哪裡去？」

「塔——倫敦塔。那是對叛徒最適當不過的場所。」

琦邁德兩手被綁在背後，他們把他從逆賊門送進倫敦塔，通過寬廣的內庭，被帶到摩崴塔裡。

在一間石塊砌成的八角形的屋子裡，有三個巨人和一個矮子，正圍著桌子喝酒。

那些巨人，身高大約都有九尺九寸左右，他們是鵝庫、鴕庫、鳴庫三兄弟，專門看守倫敦塔的城門。

那位矮子名字叫錫德，和他們比起來，只到他們的腰際，他今年二十二歲，看起來就像個小孩子。他們正通宵痛飲女王進城的祝福酒。

「這小子是誰？」

鵝庫看到被士兵帶進來的琦邁德，就大聲吼叫起來。經他這麼一吼，整個屋子差點被震塌下來。

「這是今天女王要進城時，在泰晤士河上大叫女王不要進城的那個傢伙的孫子。」

「是嗎？原來這小子是個叛徒！」

巨人用他的大拳頭，敲了一下桌子。

「扭下他的頭，比扭一隻雞還容易。」

「不不，你那樣做的話，我可就麻煩了。你只要好好的守著他，別叫他逃走就行了。我去向公爵報告一下，馬上回來。」

「在我們嚴密的看守下，想逃可沒那麼容易，如果想逃的話，就用腳把他踩成肉餅。哈，哈，哈！」

巨人說著，大笑三聲。士兵們這才放心的把琦邁德留下，走出屋子。

「你爲什麼被逮捕呢？是想暗殺女王嗎？」

巨人鵜庫手裡拿著一杯酒，走近琦邁德。

「不，沒這回事。因為我是女王幼年的朋友，所以很關心她的安危。我認為她不適合當英國女王。如果她把王位讓給瑪麗，過著平平靜靜的日子，不是很好嗎！」

聽了琦邁德的話，三個巨人互相看了一下。

「他的話，眞教人感動。」

「他的看法跟我們差不多嘛！」

「他很可能會成為公爵陰謀下的犧牲者。」

「想個辦法幫一幫他吧！」

「但是，即使幫他離開這裡，他也逃不出這個塔。」

聽了三個巨人的對話，琦邁德心裡感到很安慰。

畢竟，有很多人和自己持有同樣的想法。表面上他們是懾於公爵的威勢，但是內心卻很討厭公爵，而同情潔茵小姐。假如他們願意幫忙，自己也許能夠逃出去。

「哈，哈，哈！」

矮子突然哈哈大笑。

「喂，好小子，這有什麼好笑。」

巨人感到很奇怪。

「那才好笑呢，你們煞有介事的商量那種傻辦法，怎麼行得通。眞是應了一句俗話：大個子腦筋不靈光。」

「那麼，你有什麼好辦法呢？」

「事實上，我們沒有理由冒著生命的危險去幫他逃走，但是如果他有辦法逃走的話，我們可以裝作不知道。」

「那麼，他要如何才能逃出去呢？」

「哈哈，你們的腦筋就是轉不過來。根據有關倫敦塔的歷史的記載：塔裡到處都有祕密地道，而這裡是否有地道，那要看他的運氣。」

照矮子的說法，倫敦塔的任何一棟建築都有地道，假如琦邁德找得到的話，就能逃出去了。

這時，聽到一陣叮叮噹噹的鐵鏈相擊聲，接著，看管牢房的那多克進來了。他是個獨眼龍，也是個尖酸刻薄的傢伙，看到琦邁德就呵呵的笑著說：

「你這小子既然敢謀反，心理上大概有被砍頭的準備吧？」

「你要來砍我的頭嗎？」

「不。但我要告訴你，劊子手對砍頭就像做生意一樣，只要命令一到，不管對方身分的高低，女王也好，小偷也好，照砍不誤。」

那多克陰險的笑笑，大聲催促著：

「走吧！」

繞過了羊腸般的走廊，爬上細長的樓梯，再拐個彎，就是地牢的入口。

「解開他的繩子，關進地牢。」

那多克大聲的命令士兵。

剎那間，青年就被推進暗無天日的地牢裡。

「喂！好好的睡吧！睡得飽，精神才會好。」

士兵們的腳步聲消失後，琦邁德立刻爬起來，在黑暗中，他用手從牆壁到地板，到處摸索著。但是，滑溜溜、冷冰冰的牆壁，連一根釘子、一個洞也沒有。

倫敦塔裡到處都有祕密通路和地道。琦邁德一邊想起矮子說的話，一邊不停的探索，希望能夠出現奇蹟。

但是，他的努力並沒有收穫。這裡連一條祕密地道也沒有，難道是矮子在騙人嗎？

「神啊！」

琦邁德的眼眶裡，滿含著淚水，跪在草堆上，虔誠的祈禱著：

「只要潔茵小姐能夠得到幸福，我願意奉獻我的生命。神呀！請您救我出去，因爲一旦潔茵小姐遭到危險，除了我，沒有第二個人會捨命去拯救她的。」

◉毒中毒◉

第二天早上天還沒亮，洛杉蔓公爵和他的兒子勒特雷，就躲在房間裡密談著。

「爸爸，這實在很頭痛，雖然她還是個小姑娘，但卻沒有那麼容易被說服，……」

勒特雷搖著頭說。

「這是你的努力不夠。女王的丈夫成爲國王，是應當的嘛。」

公爵很不高興的說。

「我說得舌頭快掉了，但……，潔茵自從登上王位後，好像變成另一個人似的，要她答應把王位讓給我，根本就不可能。」

「不，要騙潔茵一點也不費事。你先離開倫敦塔，到外面去住。」

「我……」

「是的，不管怎麼說，她還是個十六歲的少女。剛登上王位，心裡很高興，最初難免會得意洋洋。但你不在她身邊，日子一久，難耐寂寞，自然會把你找回來，那時候……」

「嗯，我知道了。何時出發好呢？」

「現在。」

「不先跟潔茵告別嗎？」

「傻瓜，這樣的話，計畫還會有效嗎？」

勒特雷依依不捨的站起來。

「既然您這麼說，那我只好遵命，現在就出發。」

「很好，如果潔茵的主意改變的話，我會跟你連絡的。」

「一定要趕快通知我。」

勒特雷向他父親行個禮後，就步出房間。

這時候，逮捕琦邁德的那個隊長和他擦身而過，走進了房間。

「公爵閣下，遵照您的命令，去搜查那人家。但卻找不到老太婆，所以就把她的孫子抓來頂替，現在關在摩崴塔的地下牢裡。」

「沒抓到老太婆？」

公爵很遺憾的嚷道。

「年紀那樣大的人，應該走不了多遠的，我想她可能還躲在倫敦市裡。下令嚴加搜索，無論如何，要把她找出來。一找到，就送她進拷問室。」

「是，遵命！」

隊長敬過禮後，退了出去。

這時候，寬大的房間，只剩下公爵一人。

「事情進行得還算順利，唯有潔茵不聽話。但是，遲早她總要讓步的。到時候，用全力打擊瑪麗，幫勒特雷登上王位，再毒殺潔茵，我的心願就達到了。」

公爵正在自言自語，突然——

「呵，呵，呵！」傳來一陣低沉的笑聲。

「是誰！到底是誰？」

素有剛勇無敵之稱的公爵，被這陰森的笑聲嚇得眼睛睜得大大的。

「我不是別人，就是托你的福，被砍頭的蘇麥辛公爵的亡魂。」

公爵快速的搖晃了幾下腦袋，看看是不是自己在作夢。

「別亂來！幽靈怎麼會一大早就溜出來呢？報上名來！最好露出你的原形，否則……」

「卑鄙的小人，……是怕我呢？還是怕你自己的罪惡呢？你以莫須有之罪名，將我送上斷頭臺，你還算是人嗎？還有，你利用卡瑙那，將病危的國王毒死，你眞是罪該萬死！」

公爵嚇得面無血色，額上冒出一顆顆豆般大的汗珠。

「惡魔！出來！」

公爵抽出劍，用充滿血絲的眼睛掃視著四周，但仍只聽到聲音，看不到人影。

「你才是惡魔！你是個罪大惡極的人，不是嗎？」

聲音很尖銳，但是可以聽出公爵已在心虛。

「玩火者，必被火焚。我被砍頭，你先別高興，不久，你也會有同樣的下場。」

「呵——呵——呵——」

笑聲隨著每一個字而加重。

「公爵，打擾你太久了，告辭了。在另一個世界見面吧！」

聲音消失後，公爵一再擦拭額上的汗水。

「剛才的聲音——我究竟是不是在作夢呢？」

公爵一大清早就被幽靈嚇得魂不附體，現在總算慢慢平靜下來了。

忽然，門被推開了，走進來的是一個僕人。

「閣下，時間還早呢，不多休息一會嗎？」

「嗯！接二連三發生一些怪事，心煩得很。」

「身體要緊，不要太過勞累了。對了，還有一件重大的事情，要向閣下報告。」

「重大？什麼事呢？」

「有人看到閣下正要找的卡瑙那和西班牙大使，一起進入倫敦塔。」

「什麼？西班牙大使？」

公爵有氣無力的站起來，蒼白的臉，頓時變成紫紅色，像是鼓足了氣才把這話說出來。

「雷奈多把卡瑙那帶進塔裡……原來是他在作怪。好，無論採取任何手段都行，務必要把那老太婆抓來。」

「是，遵命！」

「注意保密，行動迅速。」

「是！」

公爵目送著僕人的背影離去後，嘆了一口氣，喃喃的說：

「卡瑙那在塔裡……」

◉公爵出征◉

潔茵剛登上王位不久，就面臨一個大問題。

原來那一心一意想當女王的瑪麗，正在迅速擴充兵力，並已在諾福克舉兵。

潔茵才不過十六歲，又是初次登上王位，所以對政治上的細節，一無所知。

最高政治會議在倫敦塔裡召開，商討今後的對策。會議一開始，就有一位公爵站起來報告說：

「剛剛接到快訊，黑晉顧斯卿率領了一支四千人的軍隊投靠瑪麗。敵軍已經占領了五個州，現在正向福拉琳城進擊。」

大家聽了都默不作聲。戰事已演變到重要關頭了，敵軍時時刻刻在增強兵力，而且快速逼近倫敦。

「情勢已經不允許大家再沉默了，請各位表示意見。」

還是沒有一個人開口，潔茵只好說出自己的看法：

「我們非打敗敵軍不可，我們如果無法取得勝利，英國和新教就會遭到危險。」

「我認為陛下說得很有道理。」

伯爵又接著說：

「但是敵軍來勢洶洶，我們想取勝可不太容易，除非我方能派出一位驍勇善戰的大將，而這樣的人選非洛杉蔓公爵莫屬。」

「贊成！」

「我也贊成。」

列席會議的人紛紛舉手附議。

洛杉蔓公爵顯得很不自然，心想：這種吃力不討好的差事，怎麼會落到我的頭上來呢？眞是作夢也沒想到。

「公爵，大家都贊成由您領兵出征，不知意下如何？」

聽伯爵這麼一說，公爵雖然氣在心頭，卻也裝得很冷靜的站起來說：

「眞對不起！我身爲武將，當然是希望能爲陛下效命沙場。但如果現在就由我帶兵出戰，顯然是不智之舉，因爲這一次的情形特殊，陛下年幼，而且國內政局動盪，假如我不在，由誰來輔佐陛下呢？何況國內勇將如雲，由任何一位帶兵都綽綽有餘，所以我認爲我應該留下來保護陛下。」

潔茵聽了也說：

「公公年歲大了，帶兵打戰恐怕諸多不便。而且，我的丈夫又不知跑到哪裡去。現在我身邊只靠他老人家……所以，你們還是另外推選一位來指揮軍隊吧！」

大家仍然默默不語。

但是，公爵聽了這話，心想：潔茵也許認爲還有我在她身邊幫忙，用不著勒特雷，如果我離開了，說不定她會把勒特雷找回來當國王，於是，就站起來說：

「既然大家怕由別人指揮，軍隊會發生叛變，那我只好勉爲其難領兵出征。」

接著又說：

「可是，女王陛下的安全，得借助諸位的力量，請以十二萬分的忠誠協助女王陛下。沙福克公爵，倫敦塔的鑰匙就交給你，爲了你的女兒請多費心。那麼，陛下，請原諒我不得不出征。」

女王就站起來，向神祈禱，爲低著頭的公爵祝福。

最高政治會議結束了。公爵走出會議室時，看到西班牙大使雷奈多露出笑臉，站在走廊上。

「公爵要出征了。祝你好運！」

「是誰告訴你會議的情況，不然你怎麼知道我要出征？」

西班牙大使聳了聳肩，知道說溜了嘴，連忙陪笑道：

「不……那是……」

「我知道了，原來是你唆使出席會議的人，提議由我出征。」

「哈，哈，哈！什麼話嘛！我不過是西班牙王國派到貴國來的外國人，對於貴國的政治哪敢插手？」

「那麼，你把卡瑙那藏到哪裡去了？」

公爵大聲質問。

「卡瑙那——？誰是卡瑙那？我怎麼沒聽說過。」

「你這傢伙！」

公爵氣得把鋪著大理石的走廊踩得亂響，手按住劍柄吼道：

「如果你不是西班牙大使，我就當場把你宰了。」

「說的也是。……大概沒有理由用英國的法律來對付西班牙大使吧！」

雷奈多嘲笑的回答。

「本來想跟你決鬥，可是現在有任務在身，等到凱旋那天，必定向你挑戰！」

「好呀！隨時候教！」

公爵說著，氣憤憤的走開了。

「怎麼啦？公爵好像很生氣的樣子。」

從背後問雷奈多大使這話的是法國大使駱艾優。

「公爵並不是笨瓜。我們在最高政治會議背後唆使的事，可能被他識破了。」

「但是，現在知道已經太遲了。」

「那當然嘍……」

兩位大使靠在窗邊，凝視著廣場，看到公爵騎著栗毛色的馬匹，從塔的正門奔出去。

「那傢伙回來的時候，恐怕……」

雷奈多朝著逆賊門的方向指著。

「他一定會被拴著鐵鏈從那個門帶進來。進了那個門，絕不可能活著出去的。」

◉女王和大使◉

洛杉蔓公爵下定決心率領軍隊出征。但是，形勢卻逐漸惡化，眼看著戰爭就要爆發了。

留在倫敦塔裡的潔茵，聽到的盡是教她擔心的消息。

每天都有群衆，擠在倫敦塔的城門前圍住哨兵，叫囂著要他們打開城門。哨兵們雖然極力想趕走人群，但是，人群卻像滾雪球似的，越積越多。

海上那邊，準備要去攻打瑪麗公主的六支艦隊，途中不幸碰到暴風雨，船被沖毀，全軍覆滅。

在塔裡唯一留下的只有潔茵的父親沙福克公爵。這時，他也開始擔心了，就派人把勒特雷找回來。勒特雷卻得意洋洋，以為潔茵要讓他當國王了，就悠然自得的回來。

但是，事實卻和他的想法相反。勒特雷看到這種危險的局勢，覺得不能袖手旁觀，於是就和女王、沙福克公爵商討如何採取對策。

在這期間，他們一再接到不好的消息。

「洛杉蔓公爵請求增派援兵，因為軍隊裡面接二連三的發生逃兵，非但影響士氣，而且兵力大損。如果就這樣交戰的話，恐怕不能穩打勝仗。」

這時，一位急使匆匆忙忙的奔進來，來不及行禮，便報告道：

「群眾把倫敦塔的城門，擠得水泄不通，並且大呼『瑪麗女王萬歲』！

『把塔讓給瑪麗女王』等。」

接著又有人進來報告：

「雷奈多大使帶來一位不可思議的老太婆，和最高政治會議的議員們交頭接耳，不知道有什麼陰謀或企圖。」

沙福克公爵咬牙切齒的說。

「我以前也覺得雷奈多這傢伙有點怪，但卻找不到眞憑實據。」

「在找不到確實證據之前，我們當然沒有理由干涉這個大使。但是，現在總可以處置他了吧。」

事到如今，潔茵也毫不畏懼的直說出來。

「但是處置大使這件事，西班牙王國……」

「沒關係，爲了正義，爲了英國，即使和西班牙爲敵，也沒關係。」

勒特雷聽潔茵這麼說，就命令僕役去把雷奈多大使找來。

不久，走進房間來的雷奈多大使，眉毛連動也沒動，態度顯得非常鎭靜，不知他們三個人注意到沒有。

「很高興見到女王陛下，陛下眞是越來越容光煥發。」

雷奈多用低沉的聲調說話。接著轉向勒特雷：

「久違了！在這非常時期，閣下竟然離得開倫敦塔，這種大膽的作風，本人實在十分佩服。」

雷大使說完這挖苦的話，只見勒特雷瞪著兩眼，而且滿臉通紅。

「大使，有一件事想請教一下！」

女王以尖銳的聲音說。

「聽說你利用外交官的身分作掩護，陰謀叛變，是不是眞的？」

「哈，哈，哈！哪有這回事，哈，哈，哈……這謠言您是從哪裡聽來的呢？」

「這不是謠言，也不是不負責任的話。這可是證據確鑿。」

大使收斂起笑容說：

「有證據？那倒是很有趣的事。能不能讓我知道是什麼樣的證據？」

「你眞是無恥的盜賊！」

沙福克怒髮衝冠的說：

「你帶著誰也不認識的老太婆，在國會議員的面前搬弄是非。而且還在公開的場合，說你全心全力擁護瑪麗，這不是企圖謀反，是什麼呢？」

「公爵言重了。我不否認那些事。但是，我是西班牙人，受了西班牙國王的命令出使貴國。西班牙人爲了西班牙的利益而活動是應該的，怎麼說是企圖謀反？」

雷大使心平氣和的說。

「你……」

「不錯，我是瑪麗公主的擁護者。我認爲除了瑪麗公主之外，沒有一個人夠資格稱得上英國女王。」

「什麼……」

「還有，你說的那個誰也不認識的老太婆，她叫卡瑙那，是以前被處刑的蘇麥辛公爵的奶媽，即使你們不認識她，洛杉蔓公爵也應該知道的。」

「那你帶這個老太婆到倫敦塔來，用意何在？」

「只有她才知道先帝陛下是怎樣被毒死的。我帶她來，是要讓那些議員也能了解這件事的眞相罷了。」

女王沉思了一下，站起來說：

「大使，我以英國女王的身分，即將逮捕你。」

「哈，哈，哈！外交官是神聖的，假如您敢碰我一下，相信您不會有好日子過的。」

「你儘管威脅好了。」

女王按了按桌上的鈴，命令進來的四名侍衛：

「把雷大使請到白塔裡，好好招待他。沒有我的命令，一步也不准他離開。」

「潔茵。」

雷奈多這下子不稱呼女王陛下了，很不禮貌的說：

「你趕快收回這道命令，或許還能救你自己，否則的話……」

「我自己的事自己會處理，用不著你操心。」

「好，不要忘記你現在所講的話……」

勒特雷突然插嘴說：

「還不快點把他帶走！」

被帶出房間的雷奈多，問其中的一名侍衛：

「究竟要把我帶到哪裡去？」

「白塔的地牢裡。」

雷奈多一聽，不禁笑出聲來——傻瓜，塔裡到處都有祕密通路，能關得住我嗎？

◉殘忍的看守◉

另一方面，被關在塔內地牢裡的琦邁德，找遍了牢房的牆壁和地板，仍沒有發現地道。就這樣不知過了幾天。這段期間，唯一常到地牢來的人，只有牢獄的看守那多克。

那多克經常穿著一件外套，用頭巾蒙住臉。每當他提了一盞燈出現時，總是輕蔑的看了一下琦邁德，然後像餵動物般，把麵包往地上一扔，再把杯子倒滿水擱在地上，一句話也不說就走了。

有一天，那多克好不容易開口了：

「喂！你的生命越來越短了！」

「爲什麼呢？」

琦邁德很緊張的問。

「洛杉蔓公爵的軍隊，好像快要敗了。總有一天，瑪麗會來接替潔茵的王位，那時候，你就免不了身首異處。」

「你的話我不明白。瑪麗登上王位是意料中的事。而我是被洛杉蔓公爵抓來的，一旦公爵失去權勢，我應當被釋放才對，怎麼會被砍頭呢？」

「這你就不知道了，瑪麗當了女王之後，公爵爲了掩飾自己的罪惡，勢必殺光那些知道他的祕密的人，所以你可能是那些犧牲者之一。」

「但是，我並不知道公爵的祕密啊！」

「知道不知道是另一回事，反正公爵是寧可錯殺一百，也不願漏殺一人的。所以你還是認命吧！」

琦邁德聽了，不覺渾身顫抖起來。

的確，被抓進倫敦塔的人，都是關係到國家安危的政治罪犯。所以，那些人會被砍頭滅口並不足爲奇。

「果眞那樣，也沒辦法啊……」

琦邁德低頭嘆氣。

「話雖然這麼說，但是……可能會有意想不到的事情發生，救你一命也不一定。」

看守的話中，好像含著某種的暗示。

「意想不到的事？」

「像這樣混亂的時期，讓犯人跑掉一、兩個，也不會有人去追查的。所以，只要你拿定主意，逃出這裡並非不可能。」

「拿定什麼主意？」

「這裡有一位最美麗的姑娘，她叫琦潔莉，聽說是你的妹妹，只要她答應嫁給我，一切都不成問題。」

琦邁德一聽，氣得滿臉通紅。

的確，琦邁德的妹妹琦潔莉是在塔裡負責管理服裝，職位不高，但是她的美麗並不亞於潔茵小姐，不知什麼時候被這可惡的看守看上了。

琦邁德一邊壓抑著憤怒，一邊很平靜的說：

「我妹妹選誰做丈夫，是依神的旨意，而非由我來做主。」

「哈，哈，哈！」

看守大笑起來：

「因爲你是她哥哥，所以她才苦苦拜託我。她答應只要讓你從這裡平安逃出去，就願意嫁給我。所以，不管你怎麼說，琦潔莉是我的人了。」

「簡直是癩蛤蟆！」

突然，琦邁德乘著看守不注意，把他摔在地上，拔出看守腰際的短刀，叫著說：

「像你這樣品性惡劣的人，不配做我妹妹的丈夫。」

「救命啊，救命啊！」

想不到作威作福慣了的那多克，也有跪地求饒的一天。

「只要你答應從此不找我妹妹的麻煩，就放過你。」

「好吧，我發誓絕對不再打擾你妹妹。」

「既然你發了誓，就饒你一命。」

琦邁德抽出那多克的手帕，塞住他的嘴，用麻繩把他捆了好幾圈，直到他不能動彈為止，然後，把那多克的頭巾和外套剝下，穿在自己的身上，大大方方的走出地牢。

當他剛在地牢的走廊上拐了一個彎，突然——

「是誰？」

地道中竟然有人。

琦邁德嚇了一跳，但馬上反問道：

「你是誰？」

對方提著角燈，眼睛盯著琦邁德。但是，當他看到琦邁德穿在身上的外套和頭巾時，就轉變語調，很和氣的說：

「原來是那多克，辛苦了。牢裡沒什麼動靜吧？」

那人的聲音和臉形，琦邁德覺得很熟悉。原來他就是西班牙大使雷奈多。照說他應該被女王監禁在白塔的地牢才對，但現在卻出現在這裡。當然，琦邁德並不知道有這麼一回事。這時，大使又說：

「剛才你說抓來一個人，那大概是琦邁德吧！他在這裡聽話嗎？」

「是……」

「他也很囉嗦。我曾經在他和他祖母面前，答應不傷害潔茵。但是，我不會遵守的……因爲只要潔茵活著，瑪麗就無法取得王位。」

「是……」

大使哪裡曉得，這個隨聲附和的青年，內心正燃燒著一股怒火，恨不得咬他一口。

「反正那個老太婆活不了多久了，琦邁德也被公爵關在牢裡。假如這兩人都死了的話，我就安心了。爲了西班牙，爲了舊教而殺死潔茵，是無上的光榮。」

「大使的話對極了。」

琦邁德使出很大的力量，才迸出這句話。

「若不是你告訴我這塔裡的祕密通道，我就是插翅也逃不出來。眞謝謝你！」

「是……」

「那麼，你也一起來吧！」

「是……」

大使走在前頭，經過了狹窄的走道，踏入一間小房間。

「啊——」

這房間裡的可怕裝置，使琦邁德嚇得不禁叫出聲來。

屋子裡到處都是鐵鋏子、奇形怪狀的鋸子、燒煤炭的大火盆……等等。壁上掛滿了各式各樣的刑具。原來這是令人喪膽的拷問室。

「怎麼啦？什麼事讓你如此驚訝？難道看到這些刑具會心跳嗎？」

「不，沒什麼。因爲有一粒砂子，跑進了眼睛裡……」

「是嗎？那麼快點離開這兒吧！」

走出拷問室，兩人拐向右邊，對面是個關得緊緊的大鐵門。

「喂，打開這門！」

大使這麼一叫，琦邁德愣了一下。但是，他馬上想起剛才從看守腰間取下的那一大串鑰匙，就隨便選了一把，碰巧竟能打開鐵門。這大概是神在保佑他吧！

「大使，從這裡出去，可通到哪兒呢？」

琦邁德一邊小心翼翼的爬著樓梯，一邊發問。

「告訴你也無妨——從這裡可以通到潔茵住的地方。然後由窗口進入，利用這地道就可以把潔茵抓來關進地牢。當人們一旦發現女王失蹤，倫敦勢必大亂，那麼瑪麗就可乘機入城了。」

在角燈的照映下，這個恐怖的大使，露出了魔鬼般的笑臉。

◉退　位◉

也許有很多人都認爲能坐在王座上，眞是三生有幸。但對潔茵來說，卻如坐針氈，一刻也沒有安寧過。她的生命接二連三的受到威脅，對一位年僅十六歲的少女而言，要克服這些威脅，談何容易。

這天，她望著窗外的景色，回想起以前在翕峨寓邸，那種無憂無慮、幸福快樂的生活，不禁搖頭嘆息。

這時，她的隨從走了進來，恭恭敬敬的說：

「報告女王陛下。」

「有什麼事嗎？」

「陛下，您知不知道這戒指？」

潔茵看到隨從拿出一個戒指，心中震了一下。

這戒指——是她要進城時，送給一位苦苦勸她不要進城的老太婆。當時，對那位老太婆的話，她並沒有特別注意，現在想起來，感到有點後悔。

「這是我的戒指沒錯。」

潔茵微笑著回答。

「有一位女子帶著戒指，要求見陛下。」

「請她進來。」

可是，當潔茵看到和隨從一起進來的女子，覺得非常奇怪。因爲她記得這戒指是給了一位六十多歲的老太婆，但是，現在帶著戒指來見她的卻是一位和自己年齡差不多的美麗少女。

「你是？……」

潔茵滿臉不安和懷疑。

「報告陛下，我叫琦潔莉，是女王的侍女，在這個塔裡工作。蒙女王賜予戒指的老太婆叫卡瑙那，是我的祖母。」

「喔！原來如此，那你的祖母她……」

「陛下，……」

琦潔莉眼裡含著淚水，以企求的眼神望著潔茵。

「祖母被抓到這個塔裡……」

「究竟犯了什麼罪呢？」

「祖母並未犯罪，但很可能成爲西班牙大使陰謀下的犧牲者。」

「雷奈多大使？」

「是的，祖母聽信了雷大使的花言巧語，隨他進塔，向議員們透露一些祕聞，鼓動他們叛變。」

「你怎麼知道呢？」

「我經過白塔的地牢，無意中碰到祖母，趁著看守不注意時，祖母把大致的情形告訴我。她說女王陛下的處境很危險，要我帶這戒指來見陛下，請陛下即刻逃離倫敦塔。」

「是嗎？」

潔茵對這突如其來的事，陷入沉思。但是無論她再怎麼想，也沒有理由不相信這位少女的話。

「陛下知不知道一個叫琦邁德的青年？」

「琦邁德？」

「在陛下小的時候，曾經和陛下同學過的一個少年。」

「啊！想起來了。」

潔茵的臉上頓時浮出懷念往事的微笑。

「琦邁德是我的哥哥。」

「你的哥哥？」

「是的，而他也被捉到這個塔裡。聽管牢的人說，公爵下令，明天就要把他斬首。」

潔茵聽了，臉色變得很蒼白。

「他是犯了什麼罪呢？」

「不知道。但是，我哥哥應該是不會犯罪的。」

「我現在就派人去調查，如果琦邁德眞的無罪，馬上把他釋放。」

「陛下……」

琦潔莉的眼中泛起了感激的淚水，當她跪下去吻女王衣裙的下襬時，勒特雷和沙福克突然慌慌張張的衝了進來。

「大事不妙了，國會的議員們都來了。」

勒特雷的臉上毫無血色。

「他們到這裡來的目的何在呢？你們為什麼這麼慌張？」

「不是別的，是與王位有關的事。」

「我心裡早有準備了。」

潔茵喃喃自語著，然後溫和的對琦潔莉說：

「倘若一個小時後，我還能坐在這椅子上，一定會替你辦那件事。現在，你暫時迴避一下。」琦潔莉於是到另一個房間去了。

一會兒，那群國會議員也進來了。可是，竟然沒有一個人向女王行禮致敬，一個個臉上還帶著藐視的表情。

「眞不像話！在女王面前還不快行禮。」

儘管勒特雷大聲叫著，但議員們沒有一個人理會。「女王——？女王究竟在哪？」甚至有人這樣嘲笑著。潔茵的臉色變得很蒼白，兩手緊握著椅子的橫木。這時，有一位貴族站出來朗誦手中的卷子：

洛杉蔓公爵在先帝時攝政，竟然心存不軌向先帝下毒，以致使先帝不幸崩殂。證據確鑿，罪惡昭彰。經最高政治會議全體議員議決，以叛逆罪名將其問斬。所有以公爵名義執行的種種行爲，一律視爲無效。同時，英國王位改由瑪麗公主繼承。

剛唸完最後一句，頓時，所有議員齊聲高呼「瑪麗女王萬歲」。

「你們才是眞正的叛徒。竟敢在潔茵女王面前大喊瑪麗女王萬歲，非把你們一個個處死不可。」勒特雷大聲喊道。

「要砍我們的頭，請下令吧！可是你要知道，現在這塔裡恐怕沒有一個人會服從你的命令。」

「什麼！你說什麼？」

「乖乖的投降吧！一旦瑪麗女王登位，你們三個人均將成爲階下囚。如果你們膽敢再反抗的話……」

這時，潔茵站起來，向前走幾步，平靜的說：

「你們怎麼處置我都沒關係。只要那是爲了英國，我願意遵從諸位的意思退位，把這個原來就不是我要的王位讓給瑪麗公主。但是我有一個要求，請你們救一救我丈夫的性命。」

「瑪麗女王萬歲！」再一次的呼叫聲充滿了整個房間。接著有一位議員很刻薄的說：

「你們三個人的命運將變成如何，得由瑪麗女王來決定。我們沒有那種權力。」

◉在位九日的女王◉

潔茵小姐就這樣被趕下臺。她雖然並未受到傷害，但是牢房外面有好幾個士兵，不斷的來回巡視，一步也不准踏出去。所以就算是受到很客氣的對待，到底還是一個囚犯。

黑夜漸漸的籠罩倫敦塔，潔茵的心情也跟著沉重起來。

「神啊！請保佑我……」

當潔茵正跪著祈禱時，突然從背後傳來一陣聲音：

「太慢了，現在祈禱已經太晚了！」
潔茵回頭一看，原來是滿面陰險的西班牙大使雷奈多。
「啊！是你！」潔茵心裡一震。
「現在知道已來不及了。」雷大使一步步的逼近潔茵。
「既然你是被那些把我趕下臺的人釋放出來，爲什麼還偷偷摸摸的進入這房間？」
「我不是靠別人的幫忙，而是獨自從牢裡溜出來的。因爲塔裡的每一個房間，都有祕密通道。」大使的話如同冰一樣的冷。
「嗯……」
「監禁我的那間房間也有祕密通道。」
潔茵這才了解大使爲什麼會在這裡出現。
「喔！那麼，你是來嘲笑一位已經失去了王位的可憐少女嘍？」
「不，不是的。」

「那麼……」

「雖然你已離開了王位，但對新教徒來說，你仍然是他們希望的寄託。因此，瑪麗公主當了女王後，新教徒的存在對她將是一種威脅。這種情況，對於以舊教爲國教的西班牙來講是很不利的。」

「要我改信舊教，是絕對辦不到的。」

「到現在還嘴硬！這一回是來要你的命。」

「爲什麼呢？」

「因爲你死了，人民才會相信舊教是眞神的教，新教是蒙蔽正義、教人爲惡的教。現在窗外一片漆黑，塔又這麼高。從這裡掉下去，誰也沒法看清楚。」

大使撲向潔茵，潔茵想大叫，卻被大使摀住了嘴，像老鷹爪下的小雞，無法逃走。

「神啊……」潔茵心裡祈禱著。

到了窗邊，忽然聽到「慢著！放手！」低沉而有力的男人的聲音。大使定神一看，覺得有點莫名其妙的問：

「那多克，你是怎麼啦？」

「哈！你把我當作那多克嗎？放開潔茵，否則你就沒命。」

那男子說著，一面摘下了頭巾。大使看到情形不對，趕緊放開潔茵，轉身就跑。

「你這東西，還想逃嗎？」

青年拿著短刀，緊追在大使後頭。但是大使很快就閃進旋轉門遁入地道，一瞬間就不見蹤影了。

「逃掉了，眞可惜！」

青年注視著緊握在手中的短刀，懊悔失去了一個殺壞人的好機會。剎那間，好像醒悟過來似的，急忙跪在潔茵面前，關懷的說：

「潔茵，幸虧你平安無事！」

但潔茵卻以奇怪的眼光看著他，心裡在懷疑：這個人到底是誰呢？

「可能您已經忘了！我是琦邁德，小時候常和您一起遊戲的玩伴呀！」

「喔！原來是琦邁德。」

潔茵的臉色馬上又恢復了紅潤。從前玩捉迷藏的玩伴——比她大兩歲的那個溫雅男孩，就是眼前這英俊的少年。

「你的事情，你妹妹已經告訴我了，我一直替你擔心著，可惜我現在已無能爲力了。」

「那沒什麼好擔心的。如今最重要的是，您如果留在塔裡，將有生命的危險。說不定還會碰到像剛才那樣的事。」

「那麼，要到哪裡才不會有危險呢？」

潔茵的表情充滿疑惑，顯得可憐兮兮的。

「回到你原來的官邸去，在那兒可以過著和平幸福的日子。」

「這裡戒備森嚴，怎麼能逃得出去？你又是怎麼從牢裡出來的？」

「因爲我換上看守的服裝，在祕密通道上碰見大使，他認不出我是誰，所以我就跟著他出來。本來是想找機會救出祖母的。」

「是叫做卡瑙那的老婆婆嗎？她就是勸阻我進城的那一位老婆婆。」

「是的。因爲祖母以前是蘇麥辛公爵的奶媽，對於塔裡的祕密知道得很詳細。她說過這塔有祕密通道，只要通過地道就可以到達塔外了。」

「那麼，請你帶路，現在我一分鐘也不願意留在這個討厭的地方。」

潔茵走到旋轉門時，好像想起了什麼似的又轉身對琦邁德說：「你的好意我非常感謝。但我還是非留在這裡不可。」

「爲什麼呢？」

「我的丈夫勒特雷，現在還關在塔裡，我不能拋棄他獨自逃走。」

「但是……」

琦邁德猶豫了一下，心裡不安起來：假如剛才逃走的雷大使，和他的夥伴一起來的話，我們兩人就危險了。

「這樣好了，我先把您安置在一個安全的地方，回頭再去救勒特雷，好嗎？」

「你會照約定做嗎？」

「我向神發誓。」

潔茵相信青年的話，悄悄的從牆壁的旋轉門進入地道，沿著狹窄的階梯，一步步的前進。突然琦邁德聽到了腳步聲，趕緊拉住潔茵，兩人靠緊牆邊屏住呼吸。剎那間，五、六個全身黑色裝扮的人從他們面前通過。

「啊！不好了，一定是大使派來捉我們的。」

琦邁德附在潔茵的耳邊小聲說，馬上又牽著她的手往前跑。經過了好幾個像迷魂陣般彎彎曲曲的地道，又走了一段路，從頭頂上隱隱約約傳來沙——沙的雜音。

「那是什麼聲音呢？」潔茵不覺停住腳步，細聲的問。

「是泰晤士河的流水聲。我們現在正站在河下面的通道上。」琦邁德也低聲回答。

因爲倫敦塔是沿著泰晤士河岸建造的，所以只要通過河底，就可逃出這可怕的倫敦塔。這時，潔茵的腦海裡，浮出前些時候，穿著女王服裝，坐在船上，沿著泰晤士河前進的情景。現在，只經過短短的九天，卻成了逃犯，這難道是命運在作弄人嗎？

潔茵已不再迷戀王位，王冠對她來說，只不過是一種裝飾品罷了。她現在唯一的希望就是能過著幸福和平的日子。但是命運的安排，卻無法讓她如願以償。一齣齣的悲劇，又將降臨在這可憐的少女的身上。

◉逆賊門◉

通過了地道，走上階梯之後，出口竟是在一棟空屋子裡。

琦邁德用馬車把潔茵載到一間很樸實的民舍，對她說：

「這是我朋友的家。請您在這兒休息一下，我現在就去把你丈夫勒特雷救出來。」

「但是，那太危險了！」潔茵雖然希望琦邁德能再救出她的丈夫，但還是很替琦邁德擔心。

「您別擔心，我不會落在他們手裡的。」琦邁德很有自信的回答。

「可是，你為什麼要冒著生命的危險來幫助我呢？失去王位的我，已經不值得你這般尊敬了。」

「不，我並不是只為了對您表示尊敬，而是我時常憶起我們小時候在一起遊玩的情景。我希望您能永遠快樂幸福。」

兩人的眼光相交了一下，便又很不自然的各自移開。

「請您給我一樣東西當作信物，以及您的親筆信，好讓勒特雷看了會相信我，願意跟我出來。」

潔茵就摘下戒指，遞給琦邁德，又在桌子上，簡單的寫道：

帶這信的青年，是我們的好友，請你照著他的話去做。

帶了潔茵的信和戒指，琦邁德毅然決然的離去了。潔茵雖然很疲倦，卻沒有閒情來休息。她靠著窗邊，出神的望著在夜色籠罩下的街景。不知過了多久，突然傳來滴滴答答的馬蹄聲，劃破了寂靜的夜空。接著，一輛馬車停在門口，勒特雷和琦邁德從車上跳下來。

「謝天謝地……」潔茵跪下向神致謝。

勒特雷進入房間，看到了潔茵，飛也似的跑過去把她緊緊摟住。

「還好平安無事，我以爲再也見不到你了。」

「萬一你有了三長兩短，我也不想活了。」

兩人流著淚，慶幸彼此都能平安。在一旁的琦邁德本來不想打擾，卻又不得不說：

「你們雖然很不容易才見面，但不能在此地再耽擱下去。趁著天沒大亮，趕快離開這裡吧！」

「逃是想逃，但是不知道要如何逃法？」勒特雷說。

「小船已經準備好了，你們可以回到潔茵的官邸，以後的事就得靠你們自己小心了。」

琦邁德帶著他們兩人從後門來到泰晤士河岸邊的碼頭，那兒有一隻小船，船夫已鬆開纜繩，等待出發。

「你不一起走嗎？」潔茵依依不捨的問琦邁德。

「再會吧！潔茵。」琦邁德微微一笑，喉嚨裡好像有什麼東西哽住般，但還是恭恭敬敬的告別。

「琦邁德，你的恩情我們永遠不會忘記，假如公主能再登上王位，一定重用你。」

對於勒特雷的話，琦邁德悲傷的搖搖頭：

「不要再想那事了。作爲朋友的我，不希望潔茵再遭到痛苦。」

「何時才能再見呢？」潔茵捨不得離開似的說。

「如果你能幸福的過日子，我們就不會再見面。萬一再發生不幸，我們還會相見的！」

琦邁德不敢正視她，把目光移向船夫。不久，小船離開了岸邊，留下呆立在那兒送行的琦邁德。

「你還念念不忘那件事，希望我再登上王位？」

當琦邁德的影子消失時，潔茵開口問她的丈夫。

「那當然嘍！我們並未被打敗，我們還可以東山再起。」

「王冠這東西，表面上看起來是耀眼奪目，但是戴起來可眞是重得受不了。」

說完這話，潔茵就轉過頭去，默默不語。

坐了半天的船，好不容易才到官邸。一進門，勒特雷就說馬上要出發去加入父親洛杉蔓公爵的軍隊。潔茵沒有聽到這話，因為一連過了九天的緊張生活，使她身心疲倦到了極點，只想好好休息休息。但是，天不從人願，那天黃昏，就有一隊兵士埋伏在她的官邸附近，想逃也來不及了。他們好像剛逃離籠子的小鳥，以為從此能夠自由飛翔，沒想到只一天的光景，兩人就再度被抓回去。

上船後，又沿著泰晤士河逆流而上。僅僅十天前，也是在這河上，身穿美麗衣裳的女王，旁邊有很多貴族隨侍著，場面浩大極了，而現在竟成為階下囚。看管他們的是武裝兵士，沒有用繩子把他們綁起來已經是很客氣了。在她身旁，沒有一個侍女，也沒人對她說句安慰的話。

灰色的倫敦塔又出現了。船通過了正門，向另一個小門駛去。

「我們必須從這裡進去嗎？」潔茵畏懼的問其中一位士兵。

「這是命令，沒有辦法的。」士兵冷冷的回答。

這個水門，就是一旦進去也別想活著出來的逆賊門。遠遠的有一個男子正等著他們。下了船，這男子走近潔茵身邊，陰險的說：

「女王陛下，歡迎你們到逆賊門。」

這是多麼刻薄的話。潔茵看了那男子一眼，全身的細胞頓時像要臨敵應戰似的豎立起來。

這位露著惡魔般笑臉的男子，就是西班牙大使雷奈多。勒特雷也忍不住的大聲罵道：「卑鄙，無恥，暗算一個軟弱的少女，算什麼東西！」

「哈哈哈！是在開玩笑的。」

雷奈多笑過後，馬上繃緊臉，厲聲對勒特雷說道：「你罵我卑鄙，本來要找你算帳。但你是叛逆犯，我不屑拿性命和一個將死的人決鬥。反正有劊子手會取下你的腦袋。」

◉瑪麗女王進城◉

西元一五五三年八月三日，是英國的新女王進城的日子。這天，天氣晴朗，陽光燦爛，老天爺也像是在祝福新女王的登基。

潔茵女王的進城儀式，才過了沒多久，所以這次瑪麗女王進城典禮，絕不能比前一次遜色。

遊行的隊伍，本來計畫要走近路到倫敦塔，現在卻改變計畫，繞著倫敦市的繁華地區遊行。隊伍所要經過的道路，全都鋪上新的碎石子。沿著道路的人家，都用花花綠綠的嶄新布料裝飾在門口，使得到處顯得生氣蓬勃熱鬧非凡。爲了一睹這盛大的典禮，全國人民不分男女老幼，都趕到倫敦市來。因此，門口、窗口、屋頂、圍牆上、甚至所有寺院的塔頂，都擠滿了看熱鬧的人，如同果樹上結滿了纍纍的果實。

前一天晚上在廣大寺院過夜的新女王瑪麗，午後兩點左右到達一個叫格魯特的地方。在那裡迎接女王的是女王的妹妹伊莉莎白公主。當女王走近時，伊莉莎白馬上跪下向她致敬。她們儘管是姊妹關係，仍非行正規禮節不可。從瑪麗不悅的眼色，可以看出姊妹兩人的感情並不融洽。她們兩人的年齡相差十九歲。伊莉莎白美如天仙，是個溫柔優雅的青春少女。瑪麗已經三十六歲了，人們稱她為流血女王，有著男人般健壯體格。她們兩人之間感情冷淡，不僅僅因為年齡和性格上的差異，不同的宗教信仰更使她們之間格格不入。瑪麗信仰舊教，視新教為魔教，妹妹伊莉莎白卻篤信新教。但是，為了要使儀式順利進行，瑪麗對於這件事一字也沒提，一邊裝出笑容，一邊接受伊莉莎白的祝福。

進城儀式一開始，首先以穿著綠色天鵝絨衣服、手裡高舉著鮮豔旗子、騎在馬上的貴族作為前導。喇叭手使勁的吹奏著綁有漂亮小旗子的喇叭，穿著美麗衣裳的侍女們、披著全新外套的貴族們、箭手、法官、學者、教士、全英國的有名人士等等，排著整齊的隊伍，一列一列的前進，爲女王開路。接著就是被貴族護衛，騎在馬上的瑪麗女王。

女王當天穿著紫丁香顏色的毛皮衣裳，頭上戴著英國皇室的傳家王冠。跟在她後面的是伊莉莎白公主和一隊步伐整齊的侍衛。倫敦塔中發射出的禮砲，聲音像雷鳴般的響亮。人們狂呼著：「女王萬歲！女王萬歲！」

這和大約一個月前，潔茵女王進城的情景迥然不同。因爲每一個英國國民心目中，都認爲應該由瑪麗來繼承王位。即使是擁護潔茵的人也知道，潔茵登上王位是洛杉蔓公爵的詭計。但是，在這種熱鬧的場面中，又有誰會想到潔茵如今變成怎麼樣了。

不久，隊伍繞過市中心，進入了倫敦塔的內庭。宮廷內的貴族和塔裡的人都列隊恭迎女王。三個巨人和那個矮子也在歡迎的人群中，使得女王特別注意。血塔的前面排列著一群剛從牢裡釋放出來的人，他們也來迎接新女王。這些人大都是貴族，他們都是舊教的信徒，在前國王愛德華六世和潔茵女王在位時，被洛杉蔓公爵關在牢裡。

瑪麗看到其中有一位叫勃納的主教，就對他說：

「主教，這段期間委屈你了。由於神的指引使我登上王位，今後你可不用擔心了。從此，你就是倫敦的主教了。那個和洛杉蔓公爵狼狽爲奸，陷你坐牢的利路雷主教，現在該輪到他坐牢了。」

在旁邊聽著的雷大使，淡淡的笑了一下，喃喃自語道：「古語有一句很值得回味的話說：因果像打轉的小車。害人坐牢的利路雷，這一回自己也要坐牢了。眞是應了風水輪流轉這句話。」

被釋放的人們中，最後擠到女王面前的是一位叫克德紐的青年。這青年是瑪麗的堂兄，也是因爲莫須有的罪名而被關在塔裡，直到最近才獲得釋放。但是幾年的牢獄生活，並不能使這位青年受到絲毫損害，看起來依然是那麼強壯、英俊、瀟灑。瑪麗看這青年看得入神，許久才說出話來：

「克德紐，很抱歉使你受苦了。現在封你爲瑞普夏伯爵。」

接著，瑪麗又再瞧他一眼，最後竟露出了笑容。好幾年來都沒見到她這樣笑過。一位貴族看到這情景，附在雷大使的耳邊低聲說：「陛下說不定會選那個青年為丈夫。」

「不，一定不會的！」西班牙大使很有自信的回答，好像英國的命運都在他的掌握中似的。

「女王的丈夫，我自有安排。這位青年絕不可能成為女王的丈夫。」站在後面的法國大使駱艾優聽到這話，不禁嚇了一跳：「照西班牙大使的意思，可能會推荐一位西班牙王儲，來做瑪麗的丈夫。那麼，英國和西班牙就等於締結同盟了。果眞如此，為了法國，就非想法子破壞他的計謀不可。」駱艾優心中這麼盤算著。

這兩位曾經一度聯合起來迫使潔茵女王退位的大使，從此恐怕又將引起一場紛爭了。

「陛下——」靠近瑪麗身邊的雷大使說話了。

「陛下一即位，就釋放了那麼多被冤枉的罪犯，這種寬大愛民的德政，眞令人讚賞。不過，我有個建議，就是要做到賞罰分明，無罪的釋放，有罪的要受到制裁。」

「誰是有罪的人呢？」

「洛杉蔓公爵和他的兒子勒特雷，以及曾經奪取陛下王位的潔茵。」

「潔茵她現在在哪兒？」

「她被關在倫敦塔的囚房裡，靜候陛下發落。」

瑪麗聽了，朝著血塔的方向凝視著。

◉公爵之死◉

倫敦塔裡有座塔叫碧霞塔，裡面的房間躺著被嚴密監視的洛杉蔓公爵。

他曾經是英國最有勢力的人，現在那種傲視倫敦塔內外的威風，已經蕩然無存。僅僅數十天的時間，滿臉皺得像風乾的橘子，駝背彎腰，乍看起來像是一下子老了好多歲。如今，所有的權力被剝奪淨盡，只是個寂寞的老人罷了。死刑的判決令就要發布了，總有一天，會被送上倫敦塔的斷頭臺，在劊子手的大斧下斷掉腦袋。這時，窗外不時傳來喧鬧聲，公爵蹣跚的走近鐵窗，探頭一看，不禁顫動了一下，趕緊用雙手掩著臉。他看到自己將要受刑的地方——斷頭臺，正在修建中。

「神啊！救救我這可憐的老人吧！難道神也不理會我這可憐老人的最後祈禱嗎？」

公爵爲了擴張自己的勢力，不知害死了多少性命，竟然也會怕死。突然，「嘎」的一聲，門鎖被打開了，走進來一個男人。——是劊子手要把我帶走了嗎？公爵心裡這麼想著。轉過頭去，看到西班牙大使雷奈多站在那裡冷笑著。

「你來幹什麼？你想以一個勝利者的姿態來嘲笑我嗎？出去！我不想再

看到你。」

公爵像發瘋似的大叫，但是雷奈多絲毫不動聲色。

「既然情勢已定，我也不想再爲難你了。」

「你說什麼？」

「即使你被砍頭，對我也沒什麼好處。」

「死刑的判決已經下來了？」

「是的，但死刑犯的執行與否，須由女王決定。而能夠使女王改變心意的人只有我。」大使給公爵一個暗示。

垂頭喪氣的公爵，內心又燃起了一片希望的火花。

「公爵，你想活下去嗎？」

「誰不想活？就是當牛馬也願意。關在倫敦塔裡做一輩子囚犯，也比砍頭來得強。」

終於，公爵把心裡的話毫不隱瞞的透露出來。

「想活是可以，但是有個條件。」

「條件——？」

「是的，你得在死刑之前，大叫『我願意放棄新教，改信舊教。』那時候，你就會得到女王的赦免，你的命就保住了。」

「放棄新教，信仰舊教？」

可憐的公爵，把這句話反覆唸了好幾次。

「就這麼做吧！只要能……」

爲了苟延殘喘，公爵只好將信仰和良心拋到九霄雲外。雷大使表示很同情的樣子，默默的站在旁邊。

「這樣做很好。女王那邊我會先去說一說。」

第二天的清晨，天還沒亮的時候，公爵就被帶到倫敦塔內庭的死刑場。那兒的城牆上、塔頂、窗口都擠滿了人，大家都想看一看這位恐怖獨裁者的最後下場。公爵深深的吸了一口冰冷的空氣，不自覺打了一個哆嗦。我並不害怕，死不了的！這種排場只不過是演戲罷了，那些人都是擺一擺場面的。

公爵不斷自我安慰，想要穩定一下自己的情緒。但是，馬上又緊張起來。離斷頭臺大約兩、三步的地方，站著一個老太婆，那是卡瑙那。她走近公爵的身邊，嘲笑的說：

「公爵，你體會到那種心情了吧！蘇麥辛公爵和其他那些被你害死的人，就像你現在的心情一樣。」

被她這麼一說，公爵如同被劊子手的大斧砍在胸口般，兩腳直發抖。

「退開！」站在旁邊的劊子手推開了卡瑙那，抓住公爵的手腕，走上斷頭臺。

最後的時刻來臨了。主教走近公爵的身邊，向神祈禱後，問公爵有何遺言。公爵心想機會來了，就倚著扶手站起來，大聲叫道：

「我現在知道自己以前的想法是錯的。新教是惡魔的教，我要信奉舊教，希望繼續為女王和教皇效勞。」人群頓時騷動，發出一陣陣吶喊聲，像是在嘲笑公爵。

「很好，你能即時醒悟，你的靈魂必能上天堂。」主教的話，公爵一點都聽不進去，用盼望的眼光，不斷的掃視四周，一邊反覆的說：

「女王的使者，救命的詔書！」

劊子手抓住公爵的手，把他的頭按在斷頭臺上。

「我不想死，應該是不必死，怎麼會這樣……」公爵瘋狂的搖晃身體，想弄斷繩子。但是當他的視線接觸到臉上露出冷笑、站在斷頭臺前的西班牙大使時，才恍然大悟。大使到牢裡探望他，不過是貓哭耗子假慈悲罷了。現在，公爵已經明白上當了，有氣無力的把頭垂在斷頭臺上。說時遲，那時快，劊子手揮起了大斧，只聽到「嘎——」的一聲，公爵的頭已滾落地上。於是，被稱爲流血女王瑪麗的政治，就以充滿血腥的這一幕爲開端。這時，處刑終了，觀看的人群很快就散開了，只留下收拾殘局的劊子手們。

卡瑙那等了十幾年，只為了等待這時刻的來臨，現在總算了了一樁心願。她鬆了一口氣，像幽靈般站在那兒。「祖母！」忽然，背後有人這樣喊著。那人就是卡瑙那的孫子琦邁德。

「啊！是你，琦邁德，你怎麼會到這裡來呢？」

「我是從祕密通道溜進來的。」

「不要冒這種不必要的危險。自從你救了潔茵後，就成了引人注目的對象，聽說捉到你的人，可以得到很大的獎賞哩。」

「俗語說：燈塔照遠不照近。越危險的地方就越安全。琦潔莉現在在哪兒呢？」

「不知道呀！沒看到她的人影。」

青年聽了，臉上顯出了不安的神色。

「如果平安倒沒關係，萬一妹妹被那叫那多克的看守捉去的話……」

「那多克？是那個西班牙大使的心腹嗎？」

「是的。那糟了！只顧救潔茵，卻忘了尋找妹妹。我眞是該死。」

青年打了一下自己的腦袋。

◎瑪麗和潔茵◎

公爵被處刑的當天，雷大使又出現在女王的面前，很恭敬的對女王說：

「倫敦的市民們，看到洛杉蔓公爵被處死，莫不歡欣鼓舞，還一再稱讚陛下對於壞人毫不姑息，實在令人欽佩。」

「公爵生前爲了自己的權力，時常無故加罪於人民，所以人民當然怨恨他。我只不過是替天行道而已。」

「陛下這麼做，神一定會保佑陛下的。但是，只處死公爵，我認爲還不夠。公爵的兒子勒特雷和公爵同心協力，奪取陛下的王位。還有他的妻子潔茵公主，也曾經登上王位，雖然只是九天，但這種罪卻不容赦免。我認爲把他們兩人處死也是應該的。」

聽了這些話，瑪麗猶豫不決：

「你知道草木無根則枯，河川無源則涸。公爵既已被斬首，我看他們兩人也不敢作亂，如果再把他們兩人殺了，恐怕會使人民留下不良的印象，而對我產生反感。」

「話雖如此，但是斬草不除根，春風吹又生。即使是沒有根的樹枝，把它插入泥土，也會長出根來。陛下發現了毒蛇的巢穴，以爲把大蛇殺了，就可高枕無憂。但是，總有一天，小蛇會長成大蛇，而毒蛇的子嗣，永遠是毒蛇。」

雷大使的話使得女王感到不安。

「勒特雷暫且不去管他。但潔茵具有王室的血統，即使說是遠親，並非完全沒有資格繼承王位。再說，她還是個小姑娘，凡事都聽命於父親和丈夫。如果把她也殺死，那我不就被人笑說氣量太小了嗎？」

「那麼，陛下是打算寬恕一個國家之敵、宗教之敵的女人嘍？」

「我想，只要他們答應不再冒犯我，盡可能叫他們放棄新教，改信舊教。這樣的話，就赦免他們兩人。」

「要他們改信舊教，我想不會有太大的困難。他們的父親——公爵，不是也大叫想改信舊教嗎？」

大使說完之後，臉上露出陰險的笑容：

「怎麼樣，這件事不託我辦嗎？」

「如果有自信的話，你就去辦吧！」

「遵命！」雷奈多向瑪麗女王恭敬的行了禮就退出去。

被關在白塔裡的潔茵，不久後被帶到聖教會堂。在短短的期間內，一個人的個性能夠徹底的改變，實在不是一件簡單的事。從登上王位以來，這年輕可愛的少女潔茵，就受到種種刺激、打擊，但這卻也幫助她在精神上、思想上的成長。從到牢裡來探望的主教口中，知道她公公在斷頭臺上的失態，更堅定了她的信仰。她暗自發誓在任何情況下，絕不拋棄自己的信仰，願意爲神奉獻自己的生命。

一大早，陽光就很強烈的射進塔裡。潔茵被士兵帶出房間，經過白塔的通道時，三個巨人和一個矮子很客氣的脫下帽子和她打招呼。其中一個還「咳」的嘆了一聲，一個用袖子揉著眼睛，另一個竟然號咷大哭起來。潔茵知道，這三個巨人都認爲瑪麗女王即位比自己即位來得名正言順。如今，她成了囚犯，這些人還這麼尊敬她，同情她。想到這裡，眼圈兒不禁紅了起來。來到聖教會堂門口，碰到西班牙大使，潔茵馬上又堅強起來，咬牙切齒的面對著這個惡魔般的大使。

「你的丈夫已在教堂裡等你。」

大使這麼一說，就朝著勒特雷那邊看。

勒特雷站在昏暗的教堂裡，臉色蒼白，低著頭凝視腳邊的墓碑。「你！」潔茵已忘了大使和那些士兵，奔到她丈夫的身邊。

「你！你在做什麼……」

「潔茵！」

勒特雷一手牽著妻子，一手指著地上：

「你看！父親的墓。」腳邊的墓碑有著新刻的字跡：

洛杉蔓公爵之墓，一五五三年。

潔茵不自覺的感到頭昏昏的。這時身邊突然響起大使嘲笑的聲音。

「我曾經在這個教堂裡，對洛杉蔓公爵說他不久將埋在這裡，我的話終於應驗了。如果你們不放棄新教，也會躺在公爵的旁邊的。」

大使說完他最後的警告，就悠哉悠哉的走出教堂。他們兩人則又被帶到碧霞塔，等待剛從倫敦塔被釋放出來而升為大主教的伽地納。令人憎恨的是那些身為教士的人，竟然一手遮住神的眼睛，另一手專門幹壞事。注視著他們兩人的大主教，心想報仇的機會來了，就裝出笑臉說道：

「歡迎！歡迎兩位。我很早就想和兩位見面。以前我被令尊關在倫敦塔時，受盡折磨，我想那是神對我的一種考驗。現在想起來很感謝他老人家給我這個機會。因此，我想盡力幫助兩位。慈悲的女王陛下說：『只要你們捨棄新教改信舊教，願意釋放你們』。不知兩位的意思……」

大主教話沒說完，潔茵就斬釘截鐵的說：

「假如改變宗教信仰，才能得到寬恕的話，我寧可堅持自己的信仰，爲宗教犧牲。」

「我也不考慮改變信仰……」

站在一旁的勒特雷也這樣說。

主教本來想說服他們，但是，當他發現那樣做只是白費口舌而已，就無可奈何的舉起雙手嘆了一口氣。

「神啊！請你救救這兩位可憐的靈魂吧！我已無能爲力了。」

隨後，他又凝視著他們兩人。

「我會把這件事情，報告女王陛下，……至於後果如何，兩位大概猜得出來吧！」

「我們隨時準備上斷頭臺。死，一點也不值得害怕。」潔茵很堅決的回答。

不久，兩人又分別被帶回原來的牢裡。來到碧霞塔的入口時，有一個很面熟的青年，雜在宮廷的侍從之中。當潔茵第一眼看到他時，嚇了一跳！「那不是曾經把我從塔裡救出去的琦邁德？」潔茵雖然認出是琦邁德，但是在這種場合，是不能和他說話，否則就會暴露出他的身分。潔茵一邊注視著琦邁德，一邊默默的從他身旁走過。

「請別失望，只要我還在這裡，仍然充滿著希望，一定把你救出來。」琦邁德喃喃自語著。

◉伊莉莎白公主◉

儘管雷奈多大使一再勸瑪麗女王要處死勒特雷和潔茵，但她還是沒下決心，尤其是那年紀還輕、具有皇室血統的潔茵。瑪麗心裡也明白，那些不贊成潔茵成爲英國女王的人們，都對潔茵寄予無限的同情。決定赦免他們吧！瑪麗這麼想著。那樣做的話，人民一定會認爲女王很有同情心，而更加尊敬女王。爲了不使潔茵反感，不能只釋放她一個人，必須同時也寬恕她的丈夫。瑪麗就這樣下定決心。這時，西班牙大使進來報告，要使他們兩人放棄新教的計畫失敗了。瑪麗並沒有責備大使。

「辛苦了，謝謝你。但是，不管他們兩人信什麼教，我想這次就赦免他們吧！」

聽女王這麼一說，大使的臉扭成一團，臉色變得很難看。

「我想這不是陛下眞正的意思吧！縱虎歸山那有多危險啊！陛下一定會後悔的。」

「我想了很久，不只是你的意見，我聽了其他貴族的意見。女王的話是神聖的。你就照著去做吧！」

「是，遵命！」

大使低著頭，勉強應諾。

「陛下既然這麼決定，我也沒什麼話好說。另外一件事是關於陛下的婚姻大事……」

大使有意試探一下女王。

「你是說西班牙王子腓力和我結婚的事？」

「不錯！」

「那件事我不同意。西班牙王國在歐洲的確是數一數二的強國，而且同樣也是信仰舊教的國家，可說是門當戶對。但是，我和外國人結婚這件事，尚未徵求貴族們的意見，從此不要再提起了。」

瑪麗說得那麼清楚，雷大使卻毫不放鬆，繼續追問下去：

「那對兩國的關係來說……實在很可惜！那麼，陛下是打算從英國的貴族中，選出人選了？」

「是的。」

「他的名字，能不能先讓我知道？」

「是我從倫敦塔釋放出來的克德紐·瑞普夏伯爵。他有著皇室的血緣。論血統，論人才，作爲我的丈夫不會不夠格的。」

聽了這話，雷大使哈哈大笑起來。

「你笑什麼？在女王面前，竟然放肆的笑出聲來，未免太無禮了吧！」

「失禮！失禮！但是依愚見，是絕不可能的。克德紐和伊莉莎白公主早有來往了，所以陛下選他作駙馬，好像不太適當吧！」

這句話深深的刺傷了女王的心。臉上已變色的女王，不自覺的從王座上站起來，叫道：

「那是眞的嗎？」

「在陛下面前，我絕不敢亂說話。我這兒帶有一封克德紐給公主的信。這封信爲什麼會在我手邊，請陛下先不要問。這信是誰的筆跡，陛下一看就知道了。請陛下過目。」

接過信之後，瑪麗的手一直發抖。如果不是大使在旁邊看著，很可能，她會把這封信撕成碎片。

「把克德紐和伊莉莎白公主找來！」

瑪麗氣呼呼的命令侍女。不久，兩人進入房間，跪在女王面前。

「克德紐，你膽敢欺騙我……」

瑪麗斷然指責瑞普夏伯爵。

「陛下，我不懂您的意思。我發誓對陛下永遠忠誠，卻……」

「不要說了！我不僅把你從牢獄裡釋放出來，還封你爲伯爵，並且和你談到婚事。」

「的確不錯，陛下的隆情厚意，臣子一刻也不敢忘懷。」

克德紐平靜的回答。但是，這時伊莉莎白公主的臉色，變得很蒼白。實在難以相信，姊姊瑪麗會選克德紐為丈夫，這是作夢也沒想到的事。

「克德紐，你竟然敢欺騙女王！你看這封信，難道會是假的嗎？」

聽瑪麗這麼一說，克德紐接過信後，全身顫抖起來，然後對著大使，怒目相視。

「你……挑釁！」伯爵嘴裡喃喃說著。

「陛下，實在對不起，但是這……」

「你是想說，這不是你寫的？」

克德紐又默默的低著頭。

「伊莉莎白，你愛這個男人嗎？」

瑪麗突然這麼一問，伊莉莎白的臉變得更蒼白。

「是，過去是的。那是因爲我全然不知道陛下也……。如果陛下有那個意思的話，我願意……」

「請你靜下來。英國的女王，用不著妹妹來同情。你們兩人相愛的話，隨你們去。但是從現在起，你們兩人都給我離開宮廷。」

低著頭的伊莉莎白，咬緊牙關說：

「請准許我問一句話。克德紐，你是陛下跟你談過婚事之後，才寫信給我的，是嗎？而你並未將這件事跟我提起。」

「是因爲……」

「你也沒有向陛下堅決推辭。」

於是，伊莉莎白下定決心，跪在瑪麗女王的面前說：「陛下，我不願意在您面前，裝出一副可憐的樣子。既然惹您生氣，我決定離開這個塔，回到自己的地方。因爲我和陛下一樣具有皇室血統。關於陛下和克德紐的事，請三思而行。」

伊莉莎白很婉轉的說了之後，就默默的從女王面前退下。

「陛下……」

「克德紐，你還有什麼話說？」

「請陛下……」

瑪麗以輕蔑的口吻說：

「我不願意再見到你，滾！」

克德紐狠狠的瞪著大使，慢慢的退下去。

「大使，謝謝你告訴我這件事，我會重重的賞你。」女王嘆了一口氣，接著說：

「關於和西班牙王子腓力結婚的事宜，你就繼續去進行吧！」

大使露出得意的笑容，向女王行禮告辭。

妹妹在何處

琦邁德敢溜進倫敦塔，是需要很大的勇氣的。最初想逮捕他的洛杉蔓公爵，現在已被處死刑了。表面上看起來，琦邁德應該是無罪，可是他握有雷大使和看守那多克的祕密，所以他們絕不會輕易放過他。如果只在塔裡不重要的地方走走，還沒多大關係。別人會以爲是某貴族的家僕而不加以注意。可是萬一被這兩個人碰到，可就麻煩了。當然，琦邁德對於這件事也很清楚。明知是虎口，他還是溜進塔裡，一方面是因爲他有自信，一旦被發現，可以由祕密通道逃走，一方面是他要尋找好久不見蹤影的妹妹，同時，他決心再一次救出潔茵。但是，要達到目的並不是有自信就夠了。況且靠近潔茵房間的祕密通道還沒有找到，而琦潔莉現在究竟在哪裡也不知道。

琦邁德正在低頭沉思的時候，突然有人拍了一下他的肩膀，把他嚇了一跳。回頭一看，原來是大個子鴕庫！

「年輕的朋友，又碰面了！」巨人大吼一聲。

「是打算逮捕我嗎？」琦邁德慌慌張張的跳開。

大個子笑了一笑伸出右手：

「鬧著玩的，我和你並沒有仇恨，而且你又沒犯罪！」

「但是，雷奈多大使和那多克……」

「那兩個是大家最討厭的傢伙。大使時常擺出西班牙人的臭架子，仗著西班牙王國的勢力，好像英國是他們的屬國似的，在宮廷內到處耀武揚威。而那多克則狐假虎威，爲虎作倀欺負善良。」

巨人說得也不無道理。當時的西班牙在歐洲是數一數二的強國，和它的勢力比起來，英國不過是個二流國家。讀到這裡，諸位也許會感到驚訝，一個西班牙大使的勢力，竟然大到可以左右英國的國王或女王？其實，英國眞正擺脫西班牙的操縱，是在故事中所提到的伊莉莎白公主繼位後，名將豪厄德所統率的英國艦隊，把西班牙的無敵艦隊打得落花流水時開始。因此，在這事件發生之前，英國人的心中，無不希望擺脫西班牙的勢力，而成為獨立自由的王國。

「那麼，你為什麼溜進這塔裡呢？我眞不懂……不過，我很願意幫助你。至少不會像西班牙大使一樣陷害你，你可以放心！」

「把自己溜進來的目的告訴他，行嗎？」琦邁德心中疑惑著。如果把救助潔茵的計畫說出來，可能很冒險，於是他就先說出急於找尋妹妹的事。

「哦！原來是來找琦潔莉。但是，倫敦塔上上下下來往的人很多，恐怕沒有人會注意到這位姑娘吧！」

「會不會是那個那多克把她藏在什麼地方？」

「也許是，但如果眞的是那傢伙幹的，他絕不會老老實實的承認。好，我替你想個辦法，來整一整那隻狐狸。」

「得到你的幫忙，如同增加了千人的助力。」

「談不上千人，差不多有十人吧。若加上其他兩位兄弟鵝庫和鳴庫，三人合起來大概有三十人的力量。對了，還有矮個子錫德，總共是三十又半個人。哈！哈！」

鴕庫像鐘聲般笑過後，就帶琦邁德到塔裡吃飯的地方。在那裡，巨人鵝庫、鳴庫和矮人錫德，正圍著桌子，津津有味的啃著牛排。

「鴕庫，到底怎麼了？」

兩個巨人看到了琦邁德，奇怪的問大個子。

「這是琦潔莉的哥哥，爲了救琦潔莉而溜進塔裡來。你們有誰知道那姑娘的行蹤嗎？」

「不知道。」

「一定是那多克把她藏在某個地方。」

「對，一定是那多克幹的。」

「若能把那傢伙腰間的鑰匙拿到手，他就沒辦法去見琦潔莉了。」

「那太難了！」矮子喃喃自語。

「琦邁德，你在這兒不方便，上面有個房間，你可以暫時躲在那兒。」照著駝庫的話，琦邁德立刻爬上小閣樓。說曹操，曹操就到，那多克正朝著這兒走來。

「你不是在看管牢房嗎？到這裡來做什麼？」錫德不屑的問。

「喂！你們好像把一個叫琦邁德的男子帶到這兒。雷奈多大使正在找他，趕快把他交出來！」

「聽說你的鼻子像狐狸一樣靈。不過，這一回你聞錯了。」

「亂來！」那多克氣得滿臉通紅，大叫著：

「你竟敢說這種無禮的話。絕不放過你們，我非要把那個男子找出來不可。」

「狐狸，走開！」駝庫用力一拍，把桌子都快敲破了。

「喂！你再這樣下去，就別怪我不客氣了。」

對方是一個力擋十人的巨人，那多克當然不敢硬碰硬。

「不要耍脾氣，這次我是奉了女王的命令來搜查的。」

「帶正式的搜查令來，否則滾蛋！」

被三個巨人氣勢洶洶的一吼，那多克好像也懂得好漢不吃眼前虧，嘴裡嘀嘀咕咕著走了出去。

「喂！你們看，這是鑰匙！」

從桌下爬出來的矮子錫德，手裡搖著一串鑰匙，叮叮噹噹的響個不停。

「眞厲害！你是怎麼弄到的？」

「我躲在桌下，稍微動了一下手腳，鑰匙便拿過來了。」

「錫德，你眞行，幹得好！」

三個巨人異口同聲的稱讚矮子的好功夫。但他們的高興似乎早了一點，

不久，那多克又折回來了。

「喂，喂！你們眞是膽大包天，竟然連我身邊的鑰匙也敢偷。快點拿出

來！」

「什麼鑰匙？」駝庫嗤嗤的笑著問。

「掛在我腰際的鑰匙啊！快還我，否則就有你們瞧的！」那多克看了看四周。

「你在說什麼呀？」

駝庫裝作若無其事的樣子。

「哈哈！」其他兩個巨人也開口大笑。

那多克的臉上，一陣紅，一陣白，像火雞似的翻了翻白眼。最後還是找不到鑰匙。

「這下子跟你們沒完，我會告訴雷奈多，叫他把你們一個個吊起來。」

那多克臨走時，還說了一大堆話，才氣沖沖的走出去。

「哈哈！要把我們吊起來。倫敦塔裡恐怕找不到那麼粗的繩子吧！」巨人們邊打哈哈，邊捧腹大笑。

「喂！琦邁德，只要有鑰匙，馬上就可以見到琦潔莉了。」駝庫大聲的對躲在閣樓上的琦邁德說。

◉白　骨◉

不久，琦邁德和矮子一起出去找琦潔莉，他們到了倫敦塔的祕密門，矮子拿出鑰匙，交給他說：

「我在這裡等待好了。」

「爲什麼呢？」

「對不起！我生來就是膽小鬼。如果地道裡出現了什麼可怕的東西，我會嚇死的。這麼一來，不但幫不了你的忙，說不定還會拖累你。」

「錫德，你眞是個正直的人。那麼，謝謝你！我自己進去了。」

琦邁德緊緊握了握錫德的手，說聲謝謝，就持著火把進入地下道。像這樣陰森的地下道，恐怕很少有人知道，也很少有人進來。琦邁德雖然曾經被關在暗無天日的地牢裡，但在這恐怖的地道中，還是免不了會毛骨悚然的。他仔細的窺視兩側的牢房，忽然，看到一個好像很面熟的男人。那不是勒特雷家的僕人嗎？突然……「是誰？」牢房裡的男人發出聲來。

「不是敵人！」琦邁德一時不知如何是好，只好這樣回答。

「釋放我的命令，還沒下來嗎？」這個男人以爲琦邁德是看守的同伴。

「那有那麼容易就釋放出去？」

「奇怪，你的同伴說過，今晚潔茵和勒特雷將被釋放，而我也可以一起釋放。」

琦邁德心想：潔茵得到寬恕的事，並非不可能。只要瑪麗女王良心發現，簽署釋放的命令就行了。如果剛才那人所說的話是眞的，那麼他潛入塔裡的目的，就已達成一半。

「我還沒有接到那道命令，既然有人這麼說，這件事可能是眞的。別喪氣，慢慢的等吧。」

琦邁德說完這話，又繼續前進。當他穿過用石頭砌成的入口，一步步登上旋轉階梯時，就看到一口矮矮的圓形天井。他爬上用漆樹枝幹做成的木梯後，發現左側有一扇用檜木做成的門，上面用鎖鎖著。「妹妹絕不會被關在這裡面。」琦邁德雖然這麼想，但是這個房間，何以關得緊緊的，卻引起了他的好奇心。於是，他就撬開門鎖，拔出劍，把劍伸入門縫，撥開裡邊的門栓。藉著火把的光，朝房裡一看，不禁叫出聲來。有一堆可怕的東西，映在他的眼裡。在這個房間的角落，躺著一副幾乎只剩下骨頭的女屍。他慢慢走近那堆白色的東西，看到在那女屍旁邊的牆壁上刻了一些字，似乎是那女人用盡最後的力量，拿釘子或什麼東西所刻的。雖然已經模糊了，但是還讀得出她的簽名：「安」。琦邁德頓時臉色大變，呆若木雞的僵在那兒。

琦邁德曾經從祖母的口中，聽過母親不幸的遭遇。在他還很小的時候，父親和母親由於某一事件，被幽禁在倫敦塔裡。後來父親被送上斷頭臺，母

親就失去音訊了。現在牆壁上的字，正是他常常思念的母親的名字。而這堆白骨一定是他的母親。爲了尋找妹妹，無意中發現了母親的遺骨。這難道不是天意嗎？

「媽媽……」琦邁德在這堆白骨的前面，傷心的痛哭起來。

另一方面，看守那多克也從其他的地道，進入倫敦塔的地牢，當他來到一間牢房的門口，牢房的牆角坐著的一個女子，聽到腳步聲，猛一抬頭，那不就是琦潔莉？但是，由於長時間關在潮溼的牢裡，使得原來十分美麗的少女，現已變得面色蒼白，毫無生氣。

琦潔莉一看到那多克猙獰的面目，心想不知他又要採取什麼樣的手段，不禁哀叫的跳起來。

「安靜一點，別讓我發脾氣。」那多克大聲叫嚷：

「因爲這裡已經被人知道了，必須把你帶到別的地方去。」

「我不願意到別的地方，你這可惡的東西！放我走，如果你碰我一下，我馬上就咬舌自盡。」

「換一換環境也不錯嘛！」那多克嘻皮笑臉的說：

「在這房間裡再待一個多月，你的身體恐怕就支持不住了。但是，你假如不聽我的話，那你一輩子都將被關在這裡。」

「假如不聽你的話，就會像我母親那樣死在這兒嗎？」

「你母親？你是聽誰說她死在這兒？」

「誰都知道。你怎麼這樣緊張？難道我母親是被你害死的？」

「不要亂講。」

那多克大吼一聲，向琦潔莉撲過去。琦潔莉一面哀叫，一面拚命的掙扎。但是，一不小心，頭碰到地面上的石塊，馬上昏了過去。

「眞沒辦法，自討苦吃！」

那多克一邊嘀咕，一邊抱起琦潔莉走出去。

跪在母親遺骨前面的琦邁德，隱約聽到女人的哀叫聲，想仔細再聽聽看，卻又聽不到了。在這淒涼的地牢裡，聽到女人的哀叫聲，即使是很勇敢的人，也會起雞皮疙瘩的。琦邁德把屍體上的戒指取下，悲傷的離開。

在地道出口等了很久的矮子錫德，急得像熱鍋上的螞蟻一般，一直踱方步，一看琦邁德走出來，便慌張的說：

「啊！快走，不能再耽擱了。快走！」

「究竟怎麼啦？」

「那個專門打小報告的那多克，可能已向雷奈多大使密告了。我看到外面的巡邏隊在到處搜索，也許就要找到這裡來了。你知道從哪裡可以溜出塔外去！趕快從那兒逃走，等風聲平靜了再來。」

「謝謝你！」

「找到琦潔莉了嗎？」

「沒有，但卻發現了我母親的遺骨。」

「遺骨——？」

「不要那麼大聲。」琦邁德摀住他的嘴，問道：

「我想問你一件事。你知道潔茵現在怎麼樣了嗎？」

「潔茵？她和丈夫今晚得到女王的釋放令，可能會回到寓邸吧！」

「是嗎？那太好了！太好了！」

琦邁德含著興奮的眼淚和錫德揮手告別後，矯健的身影很快就消失在漆黑的通道上了。

◉陰　謀◉

瑪麗女王和西班牙王子腓力締結婚約、釋放潔茵和勒特雷、放逐了伊莉莎白和克德紐的消息，很快就傳了出去，聽到的人都大大的吃了一驚。

「新女王好不容易才即位，現在可安心了。這正是借助反新教的力量完成的。」一個雙眉緊蹙的舊教徒這麼說。

「什麼？西班牙王子將和我們的女王陛下結婚，那我國不就成了西班牙的附屬國了嗎？可惡的傢伙，一定是西班牙大使的詭計。」有人憤慨的說。

「釋放潔茵是人人稱快的事，但是對待伊莉莎白公主未免過分了一點。那樣年輕漂亮的公主，卻……」也有的女人這麼說。

唯有一件大家感到不對勁的事，就是洛杉蔓公爵被砍頭之後，以爲和平將會到來，但是每一個人心裡總覺得好像將要發生什麼大事似的，感到一種莫名其妙的不安。

同一天，在倫敦塔的一個房間裡，正醞釀著一項新的陰謀。這陰謀的策畫人就是一直袖手旁觀西班牙大使的暗中活動，而處心積慮的法國大使駱艾優。一旦瑪麗女王和西班牙王子腓力結了婚，英國和西班牙必締結同盟。這麼一來，就會深深的影響到法國的安危。爲了防患這件事的發生，無論採取任何手段，也非阻止這件婚事不可。

在倫敦塔的貴族當中，數一數二的善戰名將崴阿特男爵，對於瑪麗女王將與腓力結婚的事很不滿意。

「聽到這樣的消息眞教人氣憤。如果女王說一聲向西班牙開戰，我必率先爲國效命。但是現在，對這樣的女王，已經不值得忠心耿耿了。」

「威阿特，說得好。你才是眞正的愛國志士，眞正有勇氣的人。」

駱艾優聽到威阿特對女王不滿的話，心中暗喜，當面誇獎了他一番。

「如果你有那個意思，我願意盡全力做你的後盾。」

「這麼說，應該謝謝你了。我還要先探聽其他貴族的意見。總之，女王和西班牙王子結婚，是一件令人難以忍受的事。」

「那麼，至少也要有一半貴族支持我們才行。其次，就是再選一位信仰新教的女王，到時候也可以借助新教徒的力量。」

「改選女王？」

「若是瑪麗和西班牙人結婚，就把她……」法國大使揮著手，模仿殺人的動作，在喉嚨上比劃了一下。

「殺掉？」

「是的，然後立伊莉莎白或是潔茵爲女王。因爲洛杉蔓公爵已死，即使再讓潔茵即位，她只不過是個小女孩，沒什麼好怕的。」

「好吧！可是如何著手呢？」

「我把密件送到伊莉莎白那兒。又收買從倫敦塔被釋放出來的囚人康東，去暗殺瑪麗女王。現在阻撓我們的是雷奈多大使，我也打算把他暗殺掉。……這些都由我來策畫。你那邊如何呢？」

「我已調集了六千軍隊待命行動。一旦情勢緊急，倫敦市的民兵也會起來響應的。巫提督所率領的七艘艦隊，也站在我們這邊。現在，先把被監禁在塔裡的沙福克公爵救出來，讓他和勒特雷也一起進行工作。」

「那麼，就照計畫進行。」

「好，一言爲定。」

兩人相視了一下，不禁笑出聲來。

一會兒，歲阿特男爵走出房間，看守那多克走了進來。

那多克以疑惑的眼光，瞪著駱艾優大使。

「大使有何吩咐？」

「喔，聽說你最近在宮廷裡很得力，是嗎？」

「托你的福。」

「不，我想這都是西班牙大使對你的愛顧。」

「也可以這麼說。」

「但是，那多克，說句實在的話，看守這工作是很辛苦的，即使升遷也很有限。法國是一個風景優美、物產豐富、民風善良的國家。假如你到那裡去，並沒有人知道你曾經當過牢房看守。」

駱艾優大使邊說邊從袋裡掏出一把錢幣放在桌子上。那多克以貪婪的眼光，目不轉睛的望著那些錢。

「你只要答應我一件事，這些錢幣都是屬於你的。不，不只這些，事情辦成的話，可以給你五千鎊。」

「五千鎊！」那多克財迷心竅，頓時好像從眼中冒出金錢的火光。

「五千鎊確實是一個大數字。即使我一生拚命工作，也不可能賺這麼多的錢。」

「那個西班牙大使，拿得出這些錢給你嗎？」

「當然拿不出來，即使我對他再賣力，最多也只能得到五百鎊而已。」

「西班牙人就是這麼小氣！除了五千鎊，我還敢保證在法國宮廷內給你安插一個相當的職位。」

「那麼，到底有什麼吩咐呢？」那多克偷瞄了大使一眼。

「拿下西班牙大使的頭。」

「原來如此……」那多克一開始就猜想到這事，所以臉色絲毫未變。

「砍個頭值五千鎊嗎？」那多克有點不相信。

「那麼，你是願意接受了？」

「我有今天的地位，完全是他提拔的。如果我把他殺了，未免過於忘恩負義。」

「你這麼說就不對了。如果這樣想，那你永遠別想飛黃騰達。」

看守故意裝出考慮的樣子，然後才一本正經的回答：

「好吧！我答應你。」

「既然答應了，那這就是你的錢了。這兒有封信是給法國國王的。事情成功後，馬上逃到法國，帶著這封信去晉見國王，就會得到五千鎊的賞金和在法國宮廷內的職位。」

「這封信，是最好的保證。」

露出陰險笑容的那多克，看起來是那麼令人害怕。

「我盡快去辦，你等著聽好消息好了！」

「那麼，萬事拜託了。」

「遵命。我有一位論及婚嫁的女友，如果事情成功了，我要帶她遠走高飛。」

那多克說完這話，恭敬的向大使行個禮後就退出房間。

◎飛來的鐵鎚◎

第二天，瑪麗女王帶領群臣視察倫敦塔的內庭。大夥兒正從聖塔下通過的時候，瑪麗忽然感到一種莫名其妙的鬱悶而停住腳步。「啊！危險！」隨侍在女王旁邊的新司令官白男爵，突然大叫一聲，把女王推倒，並且很快的將自己的身體覆疊在女王身上。說時遲那時快，從左方的上空飛來一支鐵鎚，擊中女王後面一位侍從的胸膛，頓時，鮮血從他的嘴裡噴了出來。

「抓刺客！快！」霍然站起來的白男爵，大聲命令侍衛。士兵們很快就湧進塔裡，司令官趕緊扶起女王，然後跪下請罪。

「陛下，臣子疏忽，罪該萬死！剛才因爲情況緊急，所以……，不知陛下有沒有受傷？」

「快起來，謝謝你救我一命！」

瑪麗臉色蒼白，但是她的態度還是非常鎮靜。她看了看那被鐵鎚擊中，痛得在地上打滾的侍從，命令旁邊的人說：

「趕快扶他去醫治。」

又歎氣的說：「眞可憐！竟成了我的替身。」

不久，士兵從塔裡拖出一個衣衫襤褸、滿面鬍鬚的男人。

「捉到一個嫌疑犯。」

「這個男人，滿口胡言亂語，說是照神的指示做的。」

「怎麼處置這傢伙呢？」侍衛向司令官請示。

「這人是誰？」白男爵從未見過這個人，很奇怪的問。

「他叫康東，是女王陛下即位時，從地牢被釋放出來的。因爲頭腦不大清楚，所以沒有人理會他。」

士兵照實回答。白男爵生氣的罵道：

「是瘋子？胡說！看這人的眼睛，不像是個瘋子。一定是受人指使來謀害陛下的。喂！你是誰派來的？敢做這種無法無天的事。」

「是神的指示！哈哈哈……」

「簡直胡扯，是誰叫你這麼做的？快說，否則只好用嚴刑來逼供。」

「無論如何，我不會說出那個人的名字。」

「可惡的傢伙，根本不是瘋子，現在不是不打自招了嗎？」白男爵冷冷的笑了笑。

「這個男人身上，不知有沒有藏著什麼東西？你們搜搜看。」

即刻，士兵們七手八腳的把那個人全身搜查一遍。但是，只找到一本聖經。白男爵翻了翻那聖經，不禁嚇了一跳。

「陛下，書上列有這陰謀幕後指使人的名字。」

「是誰？」

「這本書的開頭這麼寫著——神啊！請以你的力量幫助潔茵，再一次扶助她登上王位。」

「潔茵！」

瑪麗的臉色很快的由蒼白變得通紅。

「不知好歹的東西，可惡的叛逆！」

這時的瑪麗，氣得失去一位做女王應有的矜持，而破口大罵起來。

「如何處置這個男人？」白男爵問。

「照以前處置叛逆的方法去做！送他進地牢裡，要他招出內幕。如果不肯招，用火烤，直到招出來爲止。」

說完這話，瑪麗好像沒發生過什麼事情似的，繼續她的視察。視察完畢，回到自己的宮裡，看到雷奈多大使在那裡等著。

「回來了。剛才發生那意外事件，幸虧陛下沒有受傷。」

「謝謝！身爲王者，常有別人所不能了解的煩惱。」瑪麗女王很平靜的回答。

「聽說這是潔茵在作怪。我以前不是對陛下說過，不要去同情毒蛇？」

「可是並沒有確實的證據。」

雷奈多大使冷冷的說：

「如果光照那本書上所寫的，我認爲並不嚴重。陛下可能還不知道沙福克公爵脫獄的事情吧！」

「沙福克公爵！潔茵她父親逃脫了？」

「是的，所以一定有奸細埋伏在塔裡。昨夜一發現牢裡的沙福克不見了，隨即派人搜遍整座塔，但卻找不到他的蹤影。」

「我不相信，簡直不敢相信！」

瑪麗的臉色開始變了。

「當然，這兩件事同時發生並非巧合。目前不知是誰在搞鬼。但是塔裡一定有穿針引線的人，我們一定要盡快找出那些謀反的人。現在最好是先把潔茵和勒特雷再監禁起來，因爲他們可能就是將來發生事故的禍源。」

瑪麗遲疑了一下，接著說：「只好先逮捕他們再說。」

◎王冠與腦袋◎

再說回到寓邸的潔茵，總覺得過去像是做了一場噩夢似的。

她在倫敦塔時，老是擔心著不知什麼時候要被送上斷頭臺，每天提心弔膽，寢食難安。可是，自從被釋放後，身心的感受就完全不同了。在這裡，雖沒有豪華的王宮大廳，但也沒有陰森可怕的地牢，更沒有任何權勢，晚上也不會夢見凶狠的劊子手，到處充滿了自由、和平、安祥，精神是那麼輕鬆愉快。

潔茵在心中喃喃自語：我不要權勢，也不要王冠，只要能和丈夫兩人在這寓邸裡平靜過日子，就心滿意足了。

她唯一擔心的是丈夫勒特雷的野心。由於瑪麗女王的同情，平安回到寓邸的勒特雷，並不怎麼高興，他很少和潔茵說話，只是在庭院裡毫無目的的走來走去。潔茵看了，內心有說不出的難過，也跟著走進庭院。

這時，通往倫敦塔的街道上，一陣沙塵飛揚，從翻騰的塵埃中，可以看出有人騎著快馬飛奔過來。在院子裡的潔茵心想，會是誰呢？當近到可以看到騎馬者的面孔時，潔茵高興的叫了出來，趕緊衝出去。

「爸爸！」

「潔茵！」

騎馬的人正是潔茵的父親沙福克公爵。

「爸爸也是得到女王的赦免出來的？眞是太好了！從此，我們一家三口可以平安幸福的過日子了。」

「不，不是被釋放出來的。」

聽到從馬上跳下來的公爵這麼一說，潔茵的心裡又開始蒙上一層不祥的陰影。

「爲什麼呢？」

「勒特雷在嗎？趕快叫他出來。」公爵沒有回答他，卻忙著找勒特雷。

「是。」潔茵一邊擔心著，一邊跑進屋裡。

「爸，有什麼事嗎？」

「勒特雷，我們的時機成熟了！」

「時機？」

「女王決定和西班牙王子結婚的事，激怒了貴族們。威阿特男爵帶領先鋒部隊，準備在今天發動兵變。這一次一切都很順利。法國大使發誓要盡全力支持我們。民衆幾乎都站在我們這邊。我也是靠法國大使和威阿特的力量，才能從塔裡逃出來。」

「神啊！」潔茵和勒特雷不約而同的叫出聲來。他們所說的話雖一樣，表情卻大不相同。潔茵的臉色帶著哀傷，勒特雷卻露出喜悅的神情。

「機會來了！我就是在等待這時刻的來臨。」

「但是我們不能再耽擱了。如果瑪麗女王知道我從塔裡逃跑的事，追兵馬上就會趕到。假使我在這兒被捕，那計畫將成爲泡影。」公爵說。

「那麼，我們趕快走吧！」

勒特雷正準備走的時候，看到臉色蒼白的潔茵動也不動的愣在那兒，就問道：

「潔茵，你怎麼了？」

「我不想說不吉利的話。但是，那樣叛亂是不會成功的。請你聽我的話，不要再鬧下去。」

「傻瓜，老是說些幼稚的話！」

「不，你難道不知道王冠有多重嗎？忘了作爲一個王者是如何的辛勞嗎？卻願意冒謀反的罪名去奪取不是我們應得的王冠。」

「不，這是爲了國家，爲了貴族，更是爲了廣大的民衆。」

「胡說！你才不會去關心別人，你只爲自己，爲了一頂王冠，竟不惜掀起戰亂，使得那些無辜的百姓，遭受到戰火的蹂躪。」

潔茵的話一直刺進勒特雷的心窩，使他好像當胸受了一拳似的說不出話來。

沙福克公爵卻開口說話：

「潔茵，我很了解你的心情，但是，現在即使想罷手，也來不及了。不如將錯就錯，也許錯到底就是對的。你在位時的辛勞我很清楚。但是，那時和現在的情勢全然不同，民心的向背和大多數貴族的支持，使得局勢對我們越來越有利。」

「爸爸是武將可以這麼想，但女兒卻不希望發生這種愧對良心的事。」

「我這麼做不爲別的，完全是爲你的幸福著想！」

「女兒知道爸爸的好意。但是，爸爸如果眞的希望女兒能幸福，請爸爸無論如何就此罷手。」

「太晚了，已經是騎虎難下！你要和我們一起走，還是要留下來對追兵說：『父親和丈夫加入叛黨，與我全然無關。』呢？」

潔茵這時不但左右爲難，內心也異常沉痛。勒特雷跑到她身邊說：

「你大概不會背叛丈夫和父親吧！」

「不會，絕不會！」

潔茵大叫之後，哭倒在丈夫懷裡。

「快準備馬車。」

勒特雷命令僕役備車，扶潔茵上去。

「獲得王冠或被砍頭？這是輸贏各佔一半的大賭注。但是，潔茵，你放心好了，我們正邁向王座呢！」

潔茵的眼淚像氾濫的河水般，把頭埋在勒特雷的懷裡。

他們從翁峨宮撤走之後，不到一個時辰，黑傑卿帶領著一隊緝拿叛逆的士兵趕到，可是潔茵他們到底走往何處，無人知曉。黑傑卿只好無精打采的折回去。

在倫敦塔，由於瑪麗女王的命令，立即召開緊急會議。會議剛一開始，馬上傳來不好的消息。從開米達州來的快使，向大家報告說：

「最近，開米達州籠罩著一種不尋常的氣氛。歲阿特男爵出現在馬義市場，敲鑼打鼓當衆宣佈，陛下的婚姻等於把英國賣給了西班牙，一些情緒不穩的激進份子，都相繼大吼大叫：『還我國土！打倒瑪麗！』」

「可惡的歲阿特——」

瑪麗女王邊罵邊急著問：

「群衆聽了他的話，有什麼反應沒有？快說！不必顧忌。」

「當時，人人慷慨激昂，有的人喊：『歲阿特男爵萬歲！』有的大叫：『西班牙人滾回去！』更有人大喊：『砍掉瑪麗的頭！』」

「這些叛逆眞是無法無天！」

在場的議員，幾乎同時叫出聲來。

第一個快使還沒有離去，第二個快使又接踵而來。

「報告陛下，」

一個氣喘如牛的傳令兵，跪在女王的面前，上氣不接下氣的說：

「歲阿特男爵的軍隊已經占領了洛城，而且在城內築起防禦工事。琴弦河上的橋樑全被摧毀，附近交通均告中斷。」

傳令兵還沒報告完畢，女王就從座位上站起來。

「這些叛逆非給他們一點顏色看看不可。諾夫公爵，請你馬上領兵去討伐叛逆歲阿特。福斯隊長所指揮的倫敦市民軍，也一起帶去當預備隊以壯聲勢。」

女王下令後就離開了會場，西班牙大使也慌慌張張的跟在後頭走了。這種情景，法國大使看在眼裡，不禁眉開眼笑的喃喃自語道：

「眞有意思，倫敦市民軍……哈！哈！哈！傻瓜，他們的槍口究竟會朝著誰，現在還不知道呢！」

在這段短短的期間內，一切情形都不出法國大使所料。以前是瑪麗把潔茵頭上的王冠搶過去，依照目前的情況，很可能瑪麗必須把王冠還給潔茵。

戰爭的勝負，常常教人意想不到，威風凜凜的從倫敦塔出征的諾夫公爵，在當天傍晚就狼狽的逃回塔裡。因爲，剛和歲阿特交戰，福斯所率領的倫敦市民軍都反過槍口來對付諾夫的軍隊。這突然發生的窩裡反，叫諾夫腹背受敵，加以諾夫自亂陣腳，因而敗得不可收拾。諾夫公爵爲了顧全老命，獨自溜回去。

倫敦塔的執政者，一接到戰敗的消息，人人臉上都籠罩著一層愁雲。只有法國大使興高采烈的邊哼著歌兒邊自言自語道：

「歷史又重演啦！最初是潔茵女王，現在是瑪麗女王，不久後，大概又要換潔茵當女王了。」

俗話說：禍不單行。戰爭失利的消息像雪片般傳來，使得塔裡人心惶惶，不知所措。

「歲阿特已經包圍了拓城，正向倫敦進軍中。」

「叛軍已攻到距倫敦只有半日距離的拉城。」

戰局越是混亂，流言越多：

「某鎮發生流血暴動……」

「某鎮已被叛軍踏成平地……」

「叛軍艦隊由泰晤士河逆流而上，準備砲轟倫敦塔。」

謠言四起，到底要相信哪個消息才好，眞教人無所適從。到了第二天早晨，威阿特軍已逼近離倫敦僅數里的據點。

司令官白男爵，命令把通往倫敦塔的吊橋全部毀壞，把泰晤士河上的渡船炸沉，以防被敵人所利用。這樣看來，塔的命運似乎是岌岌可危了。

勃納主教很關心女王的安危，極力勸女王說：

「陛下，局勢越來越危險了，請先到法國避一避！」

勃納主教好言相勸，卻被瑪麗女王一口拒絕。亨利八世是以勇猛著稱，瑪麗眞不愧是他的女兒，雖大敵臨頭，也不願後退一步。

「要我獨自逃到法國，那是辦不到的。即使人民拋棄我，我也不會拋棄他們。況且我相信塔裡還有很多忠心耿耿的部下。」

瑪麗這麼一說，勃納主教無言以對，只好退下去。這時，狠毒如蛇蠍的西班牙大使，又獻出一條殘忍的詭計：

「陛下，有人勸陛下逃跑，那是膽小鬼的作風。我認為解決目前困境的唯一方法是，把伊莉莎白公主抓進塔裡來，在逆賊門將她斬首示衆，給叛軍一個警惕，說不定叛軍會知難而退。」

「你是西班牙人，不了解英國人的個性，你所說的方法，也許在西班牙人的面前行得通，但是對英國人來說，就如同火上加油。」

瑪麗以輕蔑的口吻回答。

這時，司令官匆忙的跑進來報告說：

「陛下，倫敦塔已被叛軍圍得水泄不通，雖然叛軍的正確人數不太清楚，但從瞭望臺上看去，是一支相當龐大的軍隊。」

「有沒有準備發動攻擊的傾向？」

「目前毫無動靜，可能是等著與我方交涉。如果陛下允許，我願親入敵陣會見崴阿特男爵。」

「你把崴阿特叫到塔裡來，我要親自和他談判。」

「他肯來嗎？」

「無論他對我怎樣無禮，我發誓保證他的安全。」

「遵命，我一定把女王的話轉告他。」

白男爵帶著四名侍衛，把軍使旗舉得高高的向敵陣走去。

◎決　戰◎

白男爵獨自進入歲阿特軍的陣營，傳達了女王的話。歲阿特馬上召開會議商量對策。

「城裡派人傳來女王的話，要我前去談判，我們應該如何處置呢？」

歲阿特男爵徵求大家的意見。

勒特雷首先發言：

「敵人的話靠得住嗎？如果你進城去談判，不就等於自投羅網？說不定我們過去的努力，就在一朝之內成了泡影。」

「用不著擔心。也許是他們懾於我們的威勢，會把倫敦塔拱手讓給我們也說不定。」

素有勇將之稱的崴阿特，竟如此有勇無謀，連敵人的個性都摸不清楚，而說出這種幼稚的話。

「話雖如此，但，瑪麗的保證可以相信嗎？」

「瑪麗我是不敢講，可是和白男爵一起去的話，絕對沒問題。他是我多年的好友，大概不至於欺騙我。我這一去，大約一個時辰就可回來。」

儘管勒特雷和沙福克再三勸阻，崴阿特還是和白男爵一起坐船，橫過泰晤士河，從逆賊門進入塔裡。

瑪麗女王正在會議室等著。女王的面前，有兩列雄糾糾、氣昂昂的武裝衛兵排列著。崴阿特大搖大擺的走到女王面前，走到女王面前。

「大膽的叛逆，在本女王面前，竟敢不下跪！」

瑪麗用尖銳的聲音責問。

崴阿特男爵原先以爲瑪麗會客客氣氣的對待他，沒想到卻被大吼一陣，不禁火冒三丈。但是，想到現在身在敵境，只好忍氣吞聲的說：

「你，我和你站在同等地位，請你講話客氣一點！」

「你認爲我們是對等的，但是我並不承認。」

「不承認的話，只好用武力叫你承認。」

歲阿特這話說完，轉身就要離開。

「慢著！你究竟有什麼要求？大概是要逼我退位，你們好立潔茵或伊莉莎白爲女王，是吧？」

「並不一定要那樣做。假若你願意接受兩個條件，我們仍尊你爲王，保留你的王位。」

「條件？」

瑪麗氣得頓腳，眼睛迸出火花，大叫：

「什麼條件，說說看！」

「第一，解散塔裡的全部武裝兵力，塔裡的一切由我來掌管。第二，以雷大使的腦袋作爲你和西班牙王子解除婚約的憑證。」

「只有這區區兩個條件嗎？」瑪麗故意這樣挖苦他。

「那麼，你的意思是答應嘍？」

「笨蛋！」

瑪麗從王座上跳起來叫道：

「叛賊歲阿特，你聽著！本來應即刻把你處死，但是我有誓言在先，所以姑且饒你一命。現在我話講在前頭，你如把軍隊解散，向我投誠，或許還能救你自己一命，否則……」

「瑪麗，你先別得意，下次再碰面時，條件還會增加幾個。話到此爲止，後會有期。」

歲阿特很快就趕回到自己的陣營。

「我們很擔心見不到你的面。瑪麗接受我們的條件了嗎？」

勒特雷急著想知道談判的結果，但是，歲阿特露出苦澀的臉色，搖一搖頭：

「諸位，交涉的時候已過，現在只有靠武力來解決了。瑪麗說我們是叛逆，還說要把我們送上斷頭臺。」

「可惡……」

「我看我們還是照先前的計畫攻塔，明天午夜開始，希望中午前能把塔占領下來。」

午夜二時，開始倫敦塔的總攻擊。拉開序幕的是崴阿特所帶領的突擊隊。他們在黑夜中，利用被砍斷的吊橋的橋墩接敵，突然，遭到一陣猛烈炮火的襲擊，但是，崴阿特和十二名突擊隊員，仍然奮不顧身的衝入敵陣。這種不顧死活的突擊，效果奇佳，很快就攻破敵人守塔的第一線。

崴阿特聽了這些佳訊，不禁心花怒放，興奮的大叫：

「攻城！」

佈置在泰晤士河沿岸的大砲，馬上一齊開火，灰色的倫敦塔一時煙焰騰空，轉眼間全部沒入黑煙中。

◉塔的攻防戰◉

女王聽到這一連串震耳欲聾的砲聲，覺得事態嚴重，就趕緊披上鎧甲，親自登上城壘激勵士兵。

「陛下，這兒很危險，請您趕快離開吧！」

「不，我不能離開，我一步也不離開。」

瑪麗女王的語氣顯得很悲壯。站在旁邊的雷大使又開始獻殷勤的說：

「陛下，萬一這塔失陷了，我可以保護陛下由祕密通道逃走。」

「少廢話！即使只剩下一兵一卒，我也要和他們死守倫敦塔。」

忽然「轟隆——」一聲，敵人的砲彈落在附近，炸得人仰馬翻，牆倒壁毀。但是，瑪麗卻毫無懼色，仍然目不轉睛的凝視著前方正展開的殊死攻防戰。

這時，一度勇猛無比的崴阿特，由於後援不繼，被千餘人的防禦軍圍困在壕溝裡。但是，他雖然以一敵衆，卻仍然那麼勇猛，邊向敵軍大喊：

「勇士們，我不是你們的敵人，我是爲使英國脫離西班牙的掌握而戰，爲英國的自由而戰。」

這些話實在深深的扣人心弦，使形勢急速的來個一百八十度大轉變。原先準備攻擊崴阿特的防禦軍，開始躊躇起來了。突然又不知從何方發出：「英國萬歲！崴阿特萬歲！」的呼叫聲。

這些防禦軍也就莫名其妙的跟著喊起來，同時把箭頭指向倫敦塔。站在城牆上的一名衛兵，以顫抖的口吻說：

「那個男人看起來好像有蠱惑人心的魔力……」

瑪麗女王很鎭定的回答：

「不要怕，神明一定會幫助我軍。黎明之前是最黑暗的，但我們有信心衝破黑暗。」

終於，叛軍攻到獅子門了。這是最後一道防線，萬一獅子門被攻破的話，倫敦塔的命運和這次戰爭的勝負，就會因而決定。

「戰到最後一兵一卒——」

女王拚命的叫著。

「我不需要護衛，通通到獅子門去支援！」

以往一直隨侍、保衛女王的三個巨人鵜庫、駝庫、鳴庫也離開女王，飛也似的衝向獅子門。背影看起來像小孩的矮子錫德，也穿著一套不合身的鎧甲，在人海中到處橫衝直撞，平常看到這種情景，大家一定會捧腹大笑，但現在卻沒有一個人笑得出來。

好不容易，叛軍用大斧和鐵搥撞破了獅子門。威阿特的軍隊和反叛女王的福斯所帶領的倫敦市民軍，像洶湧的潮水湧進了塔裡。於是內庭一片嘶殺聲，敵我混在一起亂砍亂殺。女王站在城上，看到這種情勢，不禁冒出冷汗來，口中大叫：

「是福斯，誰抓到福斯有重賞，快抓！」

俗語說：重賞之下必有勇夫。像鶴立雞群般的三個巨人出現了。

「走開！走開！敵將是哪一個，給我滾出來！」

巨人這麼一吼，可眞嚇壞了叛軍。在混亂中，突然，駝庫像發現寶物似的飛撲過去，這寶物原來就是福斯。駝庫把福斯高高舉在半空中，然後用力向河溝摔去。

「哇——，救命啊！救命啊！」

碰到這樣的對手，連勇猛的福斯，也吃了大虧落在河溝中，一沉一浮叫苦連天。在河溝的一端，有人抛出一綑繩子，像落湯雞的福斯，只得攀著繩索從河溝中爬上來。

「謝謝！你眞是我的救命恩人。」

對方的個子像小孩子，福斯向他道謝時覺得怪怪的。這時，對方用木棒

從背後朝福斯攔腰一擊，福斯叫了一聲倒地不起！對方還是不肯罷休，再狠狠的把他揍了一頓後，才報出自己的姓名。

另一方面，崴阿特的軍隊被三位巨人擋住去路。崴阿特見此情景，不禁大發雷霆：

「怎麼搞的，對方只不過長得高一點罷了，也不是惡魔，你們猶豫什麼，還不趕快讓他們嘗嘗我們的厲害。」

突然，崴阿特把大斧朝著鴕庫擲去，再拔出劍來，騎馬向鳴庫衝過去，揮動大刀猛然一擊。如果不是巨人趕快用盾擋住的話，也許會被劈成兩半。這一擊失敗後，崴阿特又踢了一下馬腹，讓馬蹦起來，好踏到巨人，哪知巨人揪住馬尾，用力一甩，崴阿特竟被摔得遠遠的。士兵們看得目瞪口呆，紛紛棄甲逃走。由於三位巨人的奮戰不懈，終於保住了獅子門。

但是，勒特雷的軍隊卻藉著雲梯，由城後攻進塔裡。

「潔茵女王萬歲！」

「殺死瑪麗——」

叫喊聲又在塔裡的每一個角落響起來。

「是勒特雷，勒特雷來了，由我來對付。」

西班牙大使邊說邊抽出劍來，朝勒特雷衝去。

「站住！勒特雷！」

「雷奈多，是你！」

兩人怒目相視，拔刀相向，彼此的內心都燃著一股憤怒的火焰。勒特雷人多勢衆，所以攻勢很猛，但是從獅子門那邊，很快奔來一群援軍，經過一陣混戰，勒特雷從優勢轉爲劣勢，部下也一個個被砍倒，最後僅帶著四名部下，退到城角的一個砲臺上。勒特雷邊揮舞著劍，邊大聲命令部下：

「快把火藥桶點燃，然後跳進城濠裡！」

但是，沒人敢去點，因爲誰去點，誰就先被炸得粉身碎骨。所以，儘管勒特雷發下這命令，四個部下都面面相覷躊躇不前。

這時，西班牙大使飛奔過來，持劍刺向勒特雷，於是一場龍爭虎鬥就此開始。過了一會兒，忽然……

「唉呀——」

勒特雷慘叫一聲，劍從手中落下。雷奈多一縱身，扼住他的脖子，大聲叫道：

「捉到勒特雷了！趁他還沒有斷氣，快押去見女王！」

◉斷頭臺◉

這場戰亂在城方勝利的歡呼聲中結束了。這勝利得來的確不易。憶起獅子門被撞破時，若非三位巨人奮戰不懈，堅定了一度動搖的軍心，最後到底鹿死誰手還不知道！

勒特雷、崴阿特、沙福克等叛軍首領，全部被監禁在倫敦塔裡。女王率領著文武百官，跪在祭壇前，向神致敬，感謝神的幫助。當瑪麗女王從那兒站起來的時候，眼裡再度閃耀出被稱爲流血女王的駭人光芒。接著，她把司令官白男爵叫過來，說：

「馬上把伊莉莎白帶到塔裡來，生死不論！」

「陛下眞的那麼痛恨伊莉莎白公主嗎？」

連司令官對這問題也感到費解。

「這次的叛亂，是潔茵和伊莉莎白兩人在背後興風作浪，如果不殺這兩人，難消我心頭之恨。」

瑪麗冷冷的說。

白男爵無可奈何的點一點頭，踏著沉重的步伐，出發去抓伊莉莎白。

同時，瑪麗準備叫別的貴族也去把潔茵抓來，這個命令還沒下達，一名衛兵跑來報告說，潔茵在外面請求見陛下一面。

「潔茵自己來了……」

瑪麗忘我的叫出聲來。

「她竟然毫不懼怕的到塔裡來，到底是爲了什麼？」

潔茵這樣做，令瑪麗百思不得其解，但是，她鎮定了一下自己的情緒後，命令把潔茵帶進來。不久，潔茵出現了，身上穿著素服，臉上顯得很憔悴，看起來比瑪麗還要老。當她看到瑪麗時，馬上衝到瑪麗的膝前，跪下去苦苦哀求道：

「請慈悲的女王陛下，再寬恕一次……」

「我倒很同情你，但是……」

瑪麗冷冷的說：

「你是來乞求饒命的？」

「陛下，不，不是！我不是那種沒志氣的人。」

「那麼是……」

「請救我丈夫的命。」

「絕不可能！我正要發下勒特雷的死刑令哩！」

「陛下，您也知道，這次的叛亂是他們拿我來當號召，如果我死了，我丈夫再也不會對陛下構成威脅的，相信以後陛下必能安心過日子。因此，我願意以我的死來換回丈夫的命，請陛下開恩。」

潔茵的話裡，洋溢著一股可貴的眞情，好像有點打動了瑪麗那顆冰冷的心。

「你眞的那麼愛他？」

「是的，我深深的愛著他，願意爲他而死，只要陛下赦免他，我終生感激不盡！」

「那麼，就這樣吧，你改信舊教，我就寬恕你們兩人。」

聽到這句話，潔茵用力的搖著頭說：

「陛下，我既不願意丈夫被處死，也不願意拋棄自己的信仰。」

「那麼，兩人一起死好了。」

瑪麗又恢復先前那種冷冰冰的語調。

「衛兵！把潔茵帶到碧霞塔去！」

瑪麗鼓足了氣大叫。

第二天，由白男爵率領載著伊莉莎白公主的小船，接近了倫敦塔。這一棟陰森的建築物，由於砲火的洗禮，一下子好像枯槁褪色了許多，尤其孤獨的矗立在斜雨中，看起來更加詭譎。

風雨在河中激起了波浪，層層的浪花重重的打擊著小船，小船緩緩的駛向逆賊門。

「那是逆賊門！我是亨利八世的女兒，難道要我從逆賊門進塔嗎？」

伊莉莎白公主很氣憤的説。

「女王陛下的命令。」

白男爵用沉重的語氣回答。

「我並不是叛臣，絕不由逆賊門進入。」

「陛下的命令，我不能不聽。請公主相信我，我總是盡可能爲公主著想。但是，陛下說過，即使用暴力也無妨，所以請公主不要爲難我。」

白男爵說著，從面頰上滾下了淚水。伊莉莎白看到這情景，心也軟了，於是說：

「就照陛下的意思，請你帶路吧！」

下了船，碰到雷奈多大使故意擋在通道上，看了他那張冷酷的臉，真教人不寒而慄。伊莉莎白轉身對白男爵說：

「請你叫西班牙大使讓路。」

「這樣的寬度，足夠公主通過……」

雷大使聳著肩膀，手緊握著劍柄，邊說邊想，如果白男爵敢把我推開，我就借題發揮一下。接著又說：

「你這次要住在鐘塔內，要等到上斷頭臺時才能出來。」

「你敢再說這種無禮的話，我就對你不客氣。」

接待伊莉莎白公主的一位年輕伯爵，很大膽的指責雷奈多。雷大使惱羞成怒，正想拔出劍來，公主的衛兵在旁邊看了，一齊抽出劍來，把大使擋回去。站在旁邊的白男爵深恐事情鬧大，趕緊上前打圓場，雷奈多這才氣沖沖的離去。

「雷奈多這些近乎侮辱的言辭，我永遠不會忘記……」

伊莉莎白邊走邊低聲自語。

◉拷問室◉

那些被關在塔裡的叛逆，連夜受到嚴刑拷問。有一天夜晚，瑪麗女王找雷大使來商量。瑪麗認為處死歲阿特、勒特雷、沙福克是理所當然的事，但是，對於簽下潔茵和伊莉莎白的死刑執行令，卻感到於心不安，遲遲不忍下筆。

「要我到這裡來，就是爲了這件事在猶豫不決？」

雷奈多不禁用威嚇的口氣說：

「只要那兩個人活著，陛下就別想安心的過日子，而且王冠隨時都可能易手。」

「可是，就算把那兩人也一起處死，不見得保證以後能平安無事。那天潔茵跪在我的膝前哀求時，我感到好像被詛咒似的難受。如果眞的處死他們，恐怕會受到良心的譴責。」

「哈！哈！哈！陛下，請不要庸人自擾。上次叛變中，陛下那種不怕死的勇氣，現在哪裡去了？」

聽雷奈多這麼說，瑪麗女王無可奈何的提起筆來，在死刑執行令上簽了字。這時，蹲在女王腳邊的一隻奇娃娃狗，突然對著窗口狂吠。女王猛一抬頭，看到一個蒙面男子在窗外窺視。雷奈多很快抽出短劍，朝著走廊衝出去。走廊上沒有半個人影，雷奈多又轉身跑向樓梯，一個男子正好站在那兒，

雷奈多馬上把他揪住。

「閣下，有什麼事嗎？」

聽到那男人的聲音，大使不覺把手放開。

「是那多克啊！剛才有人匆匆忙忙由此經過嗎？」

「沒……沒有——」

那多克猶豫了半天，才吞吞吐吐的回答。

在另一邊，白男爵拖著沉重的腳步，踏入伊莉莎白被關的房間裡。

「有什麼事嗎？」

伊莉莎白這麼一問，白男爵心中一酸，淚水成串的落了下來。

「公主，我服侍先王以來，一直忠心耿耿……」

「我知道。是不是死刑令下來了？」

伊莉莎白突然打斷他的話，白男爵眼中含著淚水，點一點頭。

「眞糊塗，連自己的親妹妹……，實在太過分了，我把舌頭都快說掉了，希望能使陛下回心轉意，但還是白費口舌。」

「我知道……」

伊莉莎白咬著嘴脣，陷入沉思：

「我是亨利八世的女兒，絕非貪生怕死，但死一定要死得明明白白。白男爵，請你告訴我，他們有何證據硬說我與叛黨有關？」

「崴阿特和福斯在自白中指出，叛亂成功後將請公主出來繼位。」

「胡說！」

伊莉莎白氣得說不出話來，許久才稍微鎮靜下來。

「請你轉告陛下，我並不是怕死，但是，陛下如果還有點手足之情，請她答應讓我和崴阿特、福斯兩人當面對質。」

白男爵眼睛睜得大大的，注視著伊莉莎白：

「公主，您眞有自信證明自己是無辜的嗎？」

「有！」

雖然只是一個字，但伊莉莎白卻說得很有力。白男爵臉上露出笑容，連連點頭：

「陛下會不會答應，我不敢保證，但我一定盡力而爲。」

「事不宜遲，請快去！」

「是，遵命！」

白男爵深深的行過禮後就退出房間。當晚，手持松脂火把的士兵，來到伊莉莎白公主的房間門口。

「奉陛下之命來接公主。」

「要帶我到哪裡去？」

伊莉莎白的臉頓時變白，心跳加劇。但是，從士兵們冷冰冰的臉上，得不到隻字片語的回答。

「是去訊問？還是執行死刑？請你們告訴我沒關係，我的心理上已有準備，承受得了任何打擊。」

士兵們還是一陣沉默，伊莉莎白只好跟著他們離開房間，走進地下道，順著陰暗狹窄的通路前進。地道的盡頭，有一扇大鐵門，士兵們推開鐵門發出的聲響，聽起來怪難受的。裡面正是拷問室——雖然伊莉莎白早已風聞，但這還是第一次親眼看到。

室內燈光昏黃，壁上掛著無數怪里怪氣的刑具。其中的一個角落，躺著一位骨瘦如柴的男子，看起來已經奄奄一息，那就是曾經名噪一時的歲阿特男爵。另外一個角落站著女王、主教和雷大使，在他們前面的椅子上綁著已經瘦得不成人形的福斯。

「伊莉莎白，姑且答應你最後的請求。」

瑪麗女王冷冷的說：

「剛才這兩人已招出你的陰謀，你企圖篡奪王位，然後和克德紐結婚，不是嗎？我倒要看看你如何證明自己是無辜的。」

「簡直是無稽之談！」

伊莉莎白氣沖沖的走近歲阿特的旁邊：

「男爵，請你捫心自問，如果你還有一點良心，如果你不想遺臭萬年的話，現在請你說出事情的眞相。」

歲阿特抬起那乾癟癟的臉，凝視著伊莉莎白公主，一面蠕動著身體，一面用微弱的聲音，開始說話：

「對不起，公主，我是受不了酷刑，不得已隨便捏造出來的，而且更受了敵人的愚弄，才陷害您，總之，您是清白的、無辜的。」

「敵人？誰是敵人？」

「西班牙大使雷奈多。」

已經夠陰森的這個拷問室，這時，更散佈著緊張的氣氛。

「我也是受到雷奈多的脅迫和利誘，因爲如果我一口咬定這次叛亂的主謀是伊莉莎白公主，雷奈多答應放我一條生路。」

瑪麗聽了，頓時臉色大變……

「大使，你對於這兩人的話作何感想？」

雷奈多抓頭摸耳，支支吾吾的回答：

「這……我……我之所以這麼做是出於一片好意，完全是爲了陛下。」

「這麼說的話，你是故意陷害伊莉莎白嘍？」

「……」

雷奈多無話可說。

「簡直不是人！」

瑪麗破口大罵，接著又說：

「今晚的訊問就到此爲止。把伊莉莎白帶回原來的房間。這兩名叛逆，明天一早執行死刑！」

伊莉莎白原以爲所受的誣告澄清之後，應該可以得到釋放。沒想到還要被監禁，不覺暈厥過去。

◉兄 妹◉

在拷問室被毒打過的勒特雷，全身傷痕纍纍，骨頭像被拆散似的躺在地上。曾經下了一生中最大的賭注——以腦袋換王冠的他，顯然已經輸了。雖知道自己一定會被送上斷頭臺，卻萬萬沒想到會先被拖進拷問室，受到求生不得、求死不能的折磨。這時候的勒特雷感到愧疚的是斷送了妻子潔茵一生的幸福。他想著想著，在不知不覺中竟睡著了。忽然，好像聽到一陣鑰匙相擊聲，接著門打開了。

「勒特雷先生！」

很熟悉的男人聲音，傳入熟睡中的勒特雷的耳朵裡。勒特雷勉強睜開眼皮，在微暗的燈光下，看到來的人是琦邁德。

「啊——你……」

「噓——小聲一點。我是爲了救潔茵和你而溜進來的。你還好吧？」

「我沒關係，潔茵呢？」

「她被監禁的地方戒備森嚴，無法接近，而且又找不到祕密地道。」

「唉——」

勒特雷長長的嘆了一口氣：

「我不行了，不過，拜託你務必救出潔茵。」

「別說那種洩氣話，我先救你出去。」

「不，你不知道，一連串的嚴刑後，我兩腳的骨頭已經都碎了，連一步都無法走動，哪有可能逃出去。」

聽了勒特雷的話，琦邁德也很難過的把視線投在他的雙腳上。勒特雷繼續說：

「快走吧！但請盡量想辦法救出潔茵。以後你千萬不要再到這裡來，被發現了可不是好玩的。快走！快走！」

「那麼，我告辭了，請保重！」
琦邁德心想，也許從此不能再和勒特雷見面了，一時感到很難受，低著頭慢慢的走出牢房。不幸得很，這時候，那多克正帶著衛兵，從牢房前面的走廊經過。
「是誰？」
那多克發現有異，尖叫了一聲，舉起角燈，看清楚是琦邁德，高興得跳了起來。
「是琦邁德，快，快抓住他！」
琦邁德轉身想逃跑，但追兵已從他背後猛撲過來，逮住了他。
「好！抓得好！」
那多克面露得意的說：
「我正在找你，想不到你竟自投羅網，眞是踏破鐵鞋無覓處，得來全不費功夫。本來想現在就殺死你，但因雷大使也在找你，所以只好把你送交雷大使，也好得到一筆獎賞。」

琦邁德閉上眼睛，心想這一回「萬事休矣！」當然，琦邁德既敢冒險溜進塔裡，早就把生死置之度外，但是沒想到會落在這一位曾經害死母親、時常打擾妹妹的看守那多克的手上。這件事對琦邁德來說，實在是無法忍受。

「惡魔！要殺就快殺吧！」

「你想死，我會成全你，但不是現在。你剛才在那個叛逆的牢房裡有何企圖？從實招來，我自會處置你。」

琦邁德隨即被衛兵架入拷問室，兩手兩腳被緊緊的綁在旋轉的滑車上。

「轉動滑車！」

像惡魔的那多克大聲一叫，衛兵們馬上使勁的轉動滑車。隨著滑車的急速旋轉，琦邁德渾身感到爆炸似的疼痛。

「還不招嗎？」

那多克還不時的用皮鞭抽打琦邁德，即使是鐵打的身體，也受不了這種殘酷的刑罰。

「殺吧！早點讓我死吧！」

琦邁德口中湧出鮮血，還不停的叫著。

「那樣太便宜你了，好戲還在後頭呢！」

那多克看到琦邁德那樣痛苦，愈加得意。不久，琦邁德覺得眼前一陣模糊，終於昏迷過去了。

當琦邁德從惡夢中醒來時，發現自己躺在牢房裡，全身的筋肉和關節，好像都散開了，一點氣力也沒有。

「好戲還在後頭呢……」

琦邁德嘴裡喃喃自語，渾身顫抖著，一開始就這麼殘酷，以後更不用說了，想到這裡，眞叫人不寒而慄。突然，牢房的門打開了，那多克帶著一位女子走進來。

「哥哥——」

琦邁德聽出是琦潔莉的聲音，奮力睜開眼皮，出現在眼前的是一張蒼白、瘦弱的臉龐。

「喂！她是你妹妹，今天特地來和你辭別的。」

那多克大聲的說。

「琦潔莉，是你嗎？」

琦邁德連爬起來的力量都沒有，躺在地上說話：

「我找遍了整個倫敦塔，怎麼都沒發現你呢？」

「我被這個惡魔關在地牢裡，他強迫我和他結婚，我不答應，所以吃盡了苦頭。」

「好了！好了！講夠了吧！時間不多，明天還要趕到法國去。我是可憐你，才讓你們見最後一面。我不希望使用暴力，但你明天一定得跟我走。」

「惡魔！」

琦邁德叫得血都快要吐出來了。

「你先別生氣！只要你同意我們結婚，我可以放你一條生路。」

「辦不到，只要我還有一口氣在，你別想得逞！」

「說什麼，你敢……」

那多克一怒之下，硬把琦潔莉拖出牢房。

◉黑衣刺客◉

那多克離開牢房不久，西班牙大使隨後帶著三個部下走了進來。

「惡魔！惡魔！」

琦邁德躺在那兒直嚷。

「照顧一下這個男的。」

依著大使的命令，三個部下爲琦邁德身上的傷口擦上藥。很快的，傷口就不再疼痛了，筋肉和關節的酸痛，也逐漸減輕。其中一個，用一種氣味叫人作嘔的液體，塗在琦邁德的額上，這味道雖極刺鼻，但卻能振奮精神，另外一個端來一杯白蘭地酒，讓琦邁德喝下。琦邁德喝完了酒，頓時覺得全身異常舒服。

「好，你們先到對面等一下，我隨後就去。」

雷奈多遣走了部下，獨自留在牢房裡，開始訊問琦邁德。但是，當他探知琦邁德和這次叛亂絲毫無關，不禁大失所望。正想離開時，感覺到背後好像有一個黑影靜靜的站著。雷奈多心中電光石火的一閃，似乎抓住了什麼頭緒，覺得黑影就是那天出現在女王的房間前面的那一個黑衣男子。

「誰？你是什麼人？」

大使驚叫了一聲。

「你的死刑執行人！」

黑衣男子用沙啞的聲音回答後，就抽出短刀向雷奈多撲過去。雷奈多身子一蹲，閃過這一擊。正要拔劍，黑衣男子卻比他快一步，扼住了他的脖子。突然，黑衣男子的覆面黑巾掉下來，露出了盧山眞面目，原來是凶惡的那多克。

「那多克，是你！哦！我明白了，那天在走廊上碰到你時，就覺得有點怪怪的。」

「現在才知道已經太晚了，快祈禱吧！」

那多克邊用膝蓋把大使壓在地上，邊舉起短刀。

「快放開！你爲什麼要殺我？」

「我殺了閣下可以得到一大筆賞金。」

「你如果放開我，我答應給你兩倍賞金。」

「你的話，誰敢相信。」

「我發誓，鄭重的發誓，只要你放開我，我絕不會碰你一根汗毛，我只追究那個幕後的唆使者。」

「你的花言巧語，我聽多了，才不信你那一套呢！」

那多克手中的短刀眼看著就要插進雷奈多的喉嚨，在這千鈞一髮的瞬間，忽然，琦邁德跳起來把那多克撲倒。雷奈多好不容易才擺脫那多克的糾纏，乘隙爬起來。一會兒，三個人又混戰在一起。那多克自知絕非他們兩人的對手，所以一逮住機會，馬上拔腿逃出牢房，直往祕密地道的走廊猛衝。

「想逃？就是逃到天涯海角也要抓到你。」

雷奈多一面追一面叫喊，士兵們聽到聲音，也迅速回攏過來捕拿那多克。那多克對倫敦塔的地形雖然瞭如指掌，最後還是被逼得走投無路，爬上一座砲臺的階梯。

「哈，哈，哈！你已成爲甕中之鼈了。」

雷奈多大叫一聲，拔出劍，像鷹般的衝向樓梯，那多克就是長了翅膀也逃不掉。因爲砲臺離地約九十尺，從如此高的塔頂跳下，不粉身碎骨才怪。那多克心知不妙，但也只好拔出劍，準備作困獸之鬥。這時，怒目相視的雷大使，舞動著劍，一步步逼近過來，用劍狠狠的刺進那多克的眼睛。作惡多端的那多克，慘叫一聲，就從九十尺高的砲臺，掉落到石板道上。

那些在其他地道搜索的士兵，無意中發現已經昏倒了的琦潔莉。大使接到這個報告後，想起剛才救了自己一命的琦邁德，就派人把琦邁德和琦潔莉兩兄妹接來，很和氣的說：

「你是我的救命恩人，我們之間的仇恨，就此一筆勾銷。你是爲了救你妹妹才冒險溜進塔裡，是吧？」

「是的。」

「我並不是一個不知恩的人。我的部下發現這位姑娘被那多克監禁在地牢，就把她救出來！現在你們兄妹總算團圓了，我願意放你們走。」

「謝謝您！但是我們還有一件事想請您幫忙。」

「什麼事呢？」

「在潔茵小姐被執行死刑之前，無論如何求您讓我和她見最後一面。」

訣別

一直被關在碧霞塔的潔茵，心情已漸漸平靜下來了，對這個爭權奪利的醜陋世界，她已經不再有任何的寄望，每天除了按時向神祈禱外，總是獨自靜靜的沉思著。她認爲一切都是命，世上有很多事情不是人的力量所能左右的，只有聽任命運之神的安排。既然想通了，心情也就開朗起來，不再鬱鬱不樂。

當初被送進這個塔時滿臉憔悴的潔茵，現在卻紅光煥發，活潑可愛得像位天使。有一封潔茵寫給父親沙福克公爵的信，被保留下來。從這封信的字裡行間，我們可以看出這位不到二十歲的少女，在經歷了一連串的不幸後，還是那麼的堅強和勇敢，她表現出的那種驚人的鎮靜，令人由衷佩服。

她在給父親的最後一封信中，這樣寫著：

古.90.12.7

親愛的爸爸：

也許您會認為女兒很可憐，遭到如此不幸的命運，但是女兒對死亡並不恐懼，女兒以為死亡只不過是形體的消失，但卻是精神的昇華，所以請爸爸不要難過。願神與爸爸同在，保佑爸爸健康愉快！

潔茵寫完這封信的第七天，也是死刑的前一天，衛兵進牢房通報說，有兩位朋友要來和她會面。

「是誰呢？他們是……」

潔茵實在想不出來，到現在還會有誰來見她，很驚訝的問衛兵。

「他們說是和您熟悉的人。」

衛兵含糊回答後，就揮手示意在牢房外等的人進來。看到是琦邁德和琦潔莉，潔茵按不住內心的喜悅，大聲叫道：

「琦邁德、琦潔莉，歡迎！歡迎！謝謝你們還沒有把我忘了。」

「我們一刻也不會忘記您。」琦邁德說完，嘆了一口氣：

「唉呀！命運之神眞會作弄人……」

「琦邁德，你的意思是說我很不幸？」

「是的。」

「不，我現在才知道眞正的寧靜是什麼。十多年的生命和別人比起來，可以說是很短暫，但是我已經感到很滿足了。」

這些話，眞叫琦邁德大吃一驚。如果不是親耳聽到，他絕不敢相信潔茵會說出這種話來的。

「潔茵，不瞞你說，我爲了救你，費盡心機才溜進塔裡，無意間在地牢中發現勒特雷，他的兩腿已經殘廢了，無法逃出，我答應他一定要把你救出去。離開了勒特雷後，不幸被那多克抓進拷問室受盡酷刑，幾乎喪命！後來，在一個偶然的機會裡，救了雷大使一命，勉強求得他的允許，才能來和你會面。」

琦邁德把經過一五一十的說出來了。

這時，潔茵的眼中泛起淚光，無言的看著他，淚水不斷的落下。那是喜悅，那是眞情的流露，那是很多很多的感激，所匯集出來的淚水。

「謝謝你，想不到我的事，竟讓你那樣操心！你的恩情，今生今世我沒法報答，但是我永遠不會忘記……」

潔茵說到這兒，微微的露出了滿足的微笑。

「潔茵，請不要說這種話，我已安排好救你出去的步驟，請你換上我妹妹帶來的衣服，只要能瞞過衛兵，就可逃到塔外，一旦出了塔就好辦了。如果你不想繼續住在這個國家，可以到法國去，甚至到任何你喜歡的地方。」

琦潔莉接著說：

「一切都安排妥當了，也買通了衛兵，所以應該不會出什麼問題才對。潔茵小姐，請快一點動身吧！」

「那我的丈夫呢？他也一起逃嗎？」

「不，他恐怕……不過他再三囑咐，要你早日逃離這個地方。」

「如果他逃不出去，我也不想逃。我如想逃，在這次兵變失敗時，早就逃到國外了，不會來自投羅網的。倘若他不在我身邊，我活著也沒有意義。你們的好意我非常感謝，請你們不用再為我操心了。」

「潔茵……」

琦邁德兩眼溼潤。

「那麼，請你珍重，潔茵，再見！願神保佑你。」

「謝謝！也請你自己保重。」

琦邁德正準備離開時，在旁邊已泣不成聲的琦潔莉說：

「潔茵小姐，請你讓我留在這裡和你作伴，以表示我和哥哥對你的一點心意！」

「謝謝你們！那麼就請你留下吧。」

琦邁德以感謝的眼光投向妹妹，當他踏出牢房後，還一再回過頭來看。

「再見！琦邁德。」

「再見！潔茵。」

潔茵的眼眶紅紅的。那天晚上，潔茵和琦潔莉一直都在祈禱，到了夜闌人靜的時候，隱隱約約傳來低沉的歌聲，她們兩人靜靜的傾聽著，歌詞是這樣的：

這把斧頭很銳利，
腦袋一碰準落地，
只要故意觸法律，
不問身分的高低，
照樣揮斧砍下去，
唰——唰——唰——

哀怨而低沉的歌聲隨著微風飄進了牢房，聽起來令人感到無比的淒涼。

「是劊子手的歌吧！聽說明天早上就要執刑。」

潔茵很平靜的說。

「不會這麼快吧！」琦潔莉安慰她說。

「快、慢，對我來說，已經不重要了。」

潔茵說著，又靜靜的跪在地板上繼續祈禱。

◉潔茵的悲劇◉

潔茵也許是太累了，不知不覺中竟睡著了，琦潔莉卻毫無睡意，目不轉睛的凝視著熟睡中的潔茵。潔茵看起來是那麼安詳，嘴邊不時浮出淺淺的微笑。琦潔莉覺得很不可思議。

到了第二天早晨五點鐘左右，琦潔莉才把潔茵搖醒。

「天亮了嗎？」潔茵問。

「一會兒就亮了。」

「剛才夢見一群天使來接我上天國。」

「夢中的事不見得是眞的。」琦潔莉安慰她說。

「時候不早了，我還是先起來梳理一下吧。」

潔茵換上了一襲黑色的天鵝絨長禮服，顯得很高雅、樸素。然後，她又在即將被砍斷的脖子上，掛了一串雪白的項鍊，肩上披著金黃的秀髮，看起來很整齊很有精神。

琦潔莉看到潔茵打扮好了，不覺哭出聲來。

「琦潔莉，請你不要傷心！即使是我在舉行婚禮，也沒有現在這麼高興，你應該祝福我才對，怎麼哭哭啼啼呢！」

潔茵這時候的心情，好像經過了洗滌，覺得無比的舒坦。

古.'90.12.7

琦潔莉站在她旁邊抽抽噎噎的哭個不停。

魚肚白的天空、像霧般濛濛的細雨，襯托著這一棟灰色的建築物——倫敦塔。塔裡有很多人對這件事，心裡很難過，有的人眼眶紅紅的，有的人暗暗擦淚啜泣，甚至連士兵也都無精打采。

九時正——禮拜堂的鐘聲開始響了，士兵們在塔前列隊敲鼓吹號。

被關在地牢的勒特雷，聽到這鼓號聲，忍不住內心的悲痛，用手指頭使勁的在牆上刻畫潔茵的名字，這些字，到了數百年後的今天，還留在倫敦塔裡。

潔茵泰然自若的踏出牢房，以穩健的步伐，隨著迎接的衛兵前進。跟在潔茵右後方的是主教，左後方是琦潔莉，隊伍緩緩橫過廣場，接近斷頭臺。潔茵抬頭看了看那有十三級階梯的斷頭臺，然後慢慢的登上去。這時，身邊的主教靠近過來說：

「潔茵小姐，您懺悔過嗎？希望您能改信舊教，好讓您的靈魂能升入天堂。」

「謝謝你，主教，沒有人可以改變我的信仰。我認爲每一種宗教的創立，其宗旨都是在勸人爲善，但是，往往一些野心家，借宗教的名義，以達到其爭權奪利的目的，這種人爲的因素，使得今日的宗教變質、腐化。最後，我希望神能賜給我們一個光明的社會。」

潔茵以很堅決的口吻回答後，就用力把長髮甩到一邊。旁邊的劊子手立刻拿出黑布，蒙住她的眼睛，臺下的琦潔莉看了，放聲大哭。

這時，劊子手手中雪亮的大斧，很快的落下……

◉走向光明◉

潔茵的悲劇結束，並非代表英國的悲劇結束。瑪麗處決了潔茵後，受到良心的譴責，整日如坐針氈痛苦不堪。但是，她並不因此痛改前非，反而變本加厲，接二連三殺害了許多新教徒。庫拉瑪主教和李若慧主教均被判處火刑，其後有三百多位新教徒也被用火燒死。當中包括六十名無辜的婦女和四十名年幼的小孩，惹得人神共憤。

不久，惡性的熱病蔓延全英國，病死的老百姓不計其數。接著，英、法兩國宣戰，英國大陸沿岸的領土，眼睜睜的被法國奪走。

瑪麗執政五年期間，可以說是英國史上最黑暗的時代，所以得了一個流血女王的惡名，她在位第五年也因熱病而去世。

西班牙大使在瑪麗女王死後的不久，隨她而去，這或許是命運的安排吧！後來由被監禁的伊莉莎白公主即位。

伊莉莎白女王勤政愛民，執政不久，英國即由黑暗而轉爲光明，由流血而變爲和平，就像在未知的命運裡，爆出了一粒火花，照明了幽暗的前程。英國從此擺脫了西班牙的壓力，向著世界一流強國的大道邁進。這期間，可以說是英國史上最光輝燦爛的黃金時代。

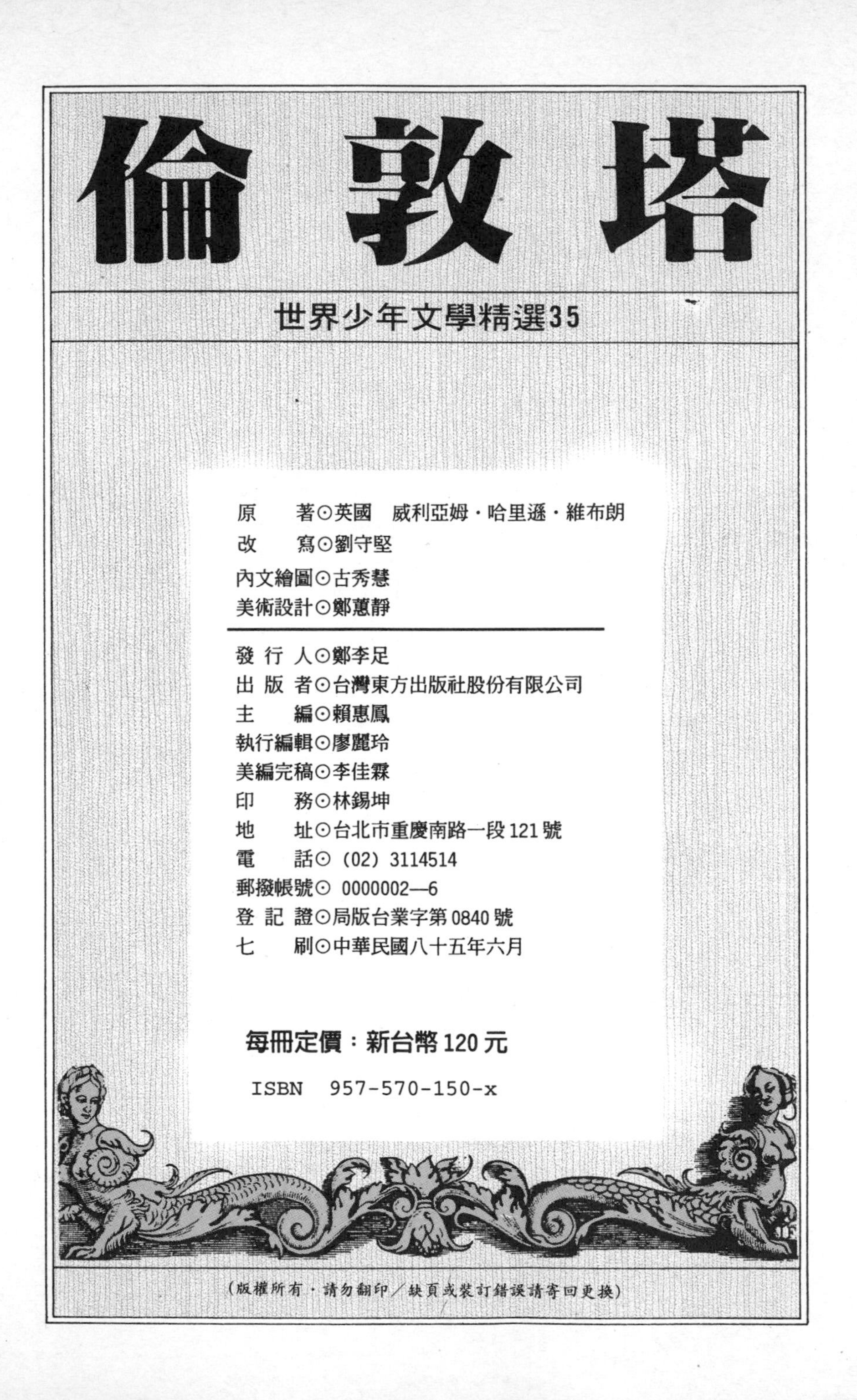

倫敦塔

世界少年文學精選35

原　　著⊙英國　威利亞姆・哈里遜・維布朗
改　　寫⊙劉守堅
內文繪圖⊙古秀慧
美術設計⊙鄭蕙靜

發 行 人⊙鄭李足
出 版 者⊙台灣東方出版社股份有限公司
主　　編⊙賴惠鳳
執行編輯⊙廖麗玲
美編完稿⊙李佳霖
印　　務⊙林錫坤
地　　址⊙台北市重慶南路一段121號
電　　話⊙（02）3114514
郵撥帳號⊙ 0000002—6
登 記 證⊙局版台業字第0840號
七　　刷⊙中華民國八十五年六月

每冊定價：新台幣120元

ISBN　957-570-150-x

·文學·

21. 三劍客
22. 小公主
23. 十五少年飄流記
24. 雙城記
25. 凱撒大帝
26. 唐・吉訶德
27. 鐵假面具
28. 地底旅行
29. 湯姆叔叔的小屋
30. 大地
31. 約翰・克利斯朵夫
32. 希臘神話
33. 孤女努力記
34. 小公子
35. 倫敦塔
36. 苦兒流浪記
37. 罪與罰
38. 上尉的女兒
39. 苦海孤雛
40. 劫後英雄傳
41. 齊瓦哥醫生
42. 野性的呼喚
43. 獅子與我
44. 紅花俠
45. 白鯨記
46. 海底歷險記
47. 杜立德醫生
48. 咆哮山莊
49. 格列佛遊記
50. 安妮的日記
51. 動物農莊
52. 金銀島
53. 傲慢與偏見
54. 海倫凱勒傳
55. 綠屋的安妮
56. 魯濱遜飄流記
57. 鹿苑長春
58. 柳林中的風聲
59. 秘密花園
60. 會飛的教室

鐘樓怪人